きもの番長 2

コーディネートレッスン編

松田恵美

いくつになっても
物語の主人公のように
自分らしくオシャレをしたい

サーミ族とキモノの出会い

もくじ

イラストギャラリー 2

一章　着物ならではの色の組み合わせ 13

二章　テッパン柄で着回す 57

三章　洋小物MIXでモダンに着こなす 73

四章　映像から学ぶアンティークの着こなし 93

五章　きもの番長のこと 105

あとがき 110

はじめに

一章 着物ならではの色の組み合わせ

色の組み合わせのコツ

最初の章では着物の色の組み合わせについてお話しします。着物は見ているだけで幸せな気持になるかわいい色が沢山あります！洋服にはない着物独特の色なので、まずは、色の組み合わせに慣れましょう。

これから【ピンク、紫、赤、水色、青、緑、黄色、茶、黒】の9色に分けて紹介します。初めは、楽しく眺めているだけで、大丈夫！徐々に色の組み合わせに慣れていきます。

次に、「好きな色の組み合わせ」を見つけます。そして手持ちのもので好きな色の組み合わせを真似してコーディネートしてみましょう。自分の好きな色や組み合わせがわかると、足りないアイテムがわかり買い物が楽になります。描いている着物は私が普段着ているリサイクルやアンティーク、現代物です。全く同じコーディネートは難しいですが、色の組み合わせは真似しやすいと思います。そして、具体的に使える7つのコツを紹介しています。

【その①】
着物の柄から一色とる。

基本は着物の柄の面積が一番小さい色から、一色とります。他にも、着物にいろんな色がある場合、どの色をとるかでイメージががらりと変わります。彩度が高い色をとると、若々しい雰囲気になり、明度や彩度が低い色だと落ちついた雰囲気になります。

【その②】
同系色でまとめる。

着物と同じ色の系統で帯を選びます。色味が近いと、馴染んでスッキリします。逆に、同系色でも薄い色と濃い色を組み合わせるとメリハリがつけられます。

【その③】
補色を選ぶ。

色相環の正反対にある色の組み合わせ。例えば、赤なら緑系、紫なら黄等。着物のコーディネートで使う場合は、きっちり向かい側でなくてもその周りの色を使って大丈夫です。補色を使うと、全体にメリハリが生まれます。使う面積が大きければ、元気な印象に。使う面積が小さければ、効果的にポイントがつきます。

【その④】
明度のコントラストを使う。

明度とは、色の明るさのことです。モノクロのグラデーションなら白に近いほうが明度が高く、黒に近いほうが明度が低いです。メリハリをつけたい時は、明度のコントラストを強くし、逆に馴染ませたい時は、コントラストを弱くします。

【その⑤】
彩度のコントラストを使う。

彩度は色の鮮やかさのこと。純色が彩度が高く、その色に他の色が混じっていくとくすんで彩度が低くなっていきます。これも明度と同じく、彩度のコントラストが強いとメリハリが生まれ、弱いと馴染みます。

【その⑥】
相性の良い色の組み合わせを使う。

これらのテクニックの他にも、組み合わせるだけで印象が変わる相性の良い色の組み合わせがあります。こちらは各ページで紹介していきます。

【その⑦】
小物の色を揃える。

半衿や帯締め等の小物に使った色を、足袋やバッグの色など少し距離のあるアイテムに使って全体に統一感を出します。着物ならではの組み合わせを楽しみながらコーディネートしていきましょう。

① 着物の柄から一色

② 同系色

③ 補色

補色でメリハリ

④ 明度

- 明度・色の明るさのこと
- 明度が低い着物は帯を明るくする

⑤ 彩度

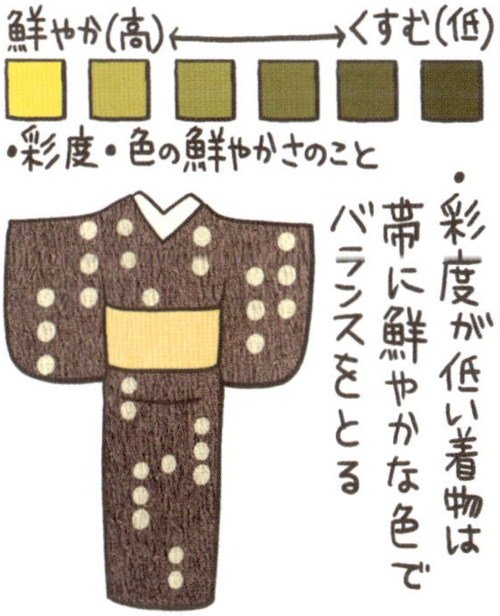

- 彩度・色の鮮やかさのこと
- 彩度が低い着物は帯に鮮やかな色でバランスをとる

⑥ 相性の良い色の組み合わせ

- ロマンチックに
- 爽やかに

⑦ 小物の色を揃える

- 少しはなれた小物の色を揃える
- 帯と草履など

他にも沢山あるので次のページから紹介します

15

ピンク

愛らしい色。大好き！という積極的なタイプと、ちょっと苦手と距離を置くタイプと他の色より極端な色かもしれない。ピンクも、淡い色、落ちついた色、ビビッドな色と貴方に似合う色や、組み合わせがあるので是非チャレンジしてみてください。

もも
ドラゴンフルーツ
フラミンゴ
さくら

マゼンタ / スモーキーピンク / サーモンピンク / ベビーピンク

×

Check
- ☑ 着物の柄から一色
- □ 同系色（ピンク系）
- □ 補色（グリーン系）
- □ 明度のコントラスト　高／低
- □ 彩度のコントラスト　高／低
- □ 相性の良い色の組み合わせ
  - 紫色　ロマンチック
  - 水色　爽やか
- □ 小物の色を揃える

スモーキーピンク / ベビーピンク
マゼンタ / サーモンピンク

色々試してみてね

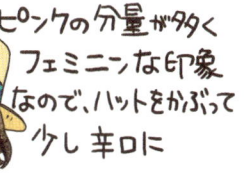

ピンクの分量が多く
フェミニンな印象
なので、ハットをかぶって
少し辛口に

撫松庵の
絽の刺繍の半衿
今回のコーデには
人魚を出してみました

◆ベビーピンク × 水色
相性の良い色の組み合わせ
＋小物の色を揃える

着物と帯は
豆千代モダン

透明感のあるピアスは
夏にピッタリ
ヘチマの形に
そっくり！

ピンクとブルーは、
相性の良い組み合わせ

着物のピンクが淡い
ベビーピンクなので
帯を青系で淡い
水色にして爽やかに

面積の狭い
帽子のリボン、ピアス、
帯揚げ、帯締めなどの
小物の色をブルーで
揃えてポイントに

◆補色を使う

| サーモンピンク | × | 黄緑 | + | 茶 |

サーモンピンクは黄味の強い色なので補色も、黄味の強い黄緑に

ピンク+黄緑に茶で桜もちカラー

帯留めも実は桜もちのモチーフ！

◆同系色の濃い色でメリハリ！

| ベビーピンク | × | マゼンタ | + | 薄紫 |

着物のベビーピンクの同系色の中で濃いマゼンタを帯にして濃淡をつける

帯揚げを薄い紫にして差し色に

紫×ピンクはロマンチックな組み合わせ淡いベビーピンクなので、紫も薄い色にすると、優しい色合に

18

| マゼンタ × 薄紫 + ターコイズブルー |

◆相性の良い色の組み合わせ

半衿は和キッチュ

ピンクと紫は相性が良くロマンチックな雰囲気に

マゼンタはピンクの中でもビビッドな色なので半衿、帯揚げ、帯を淡い色にして、中和させる

帯締めは着物の柄から一色とる

| スモーキーピンク × 紫 + 青 |

◆着物の柄から一色とる＋彩度を揃える

半衿は着物の補色のモスグリーンでポイントを

着物の紫を帯にしてまとめる

帯揚げは帯の柄のターコイズに合わせて青糸に

着物と同じスモーキーな彩度で揃えると馴染む

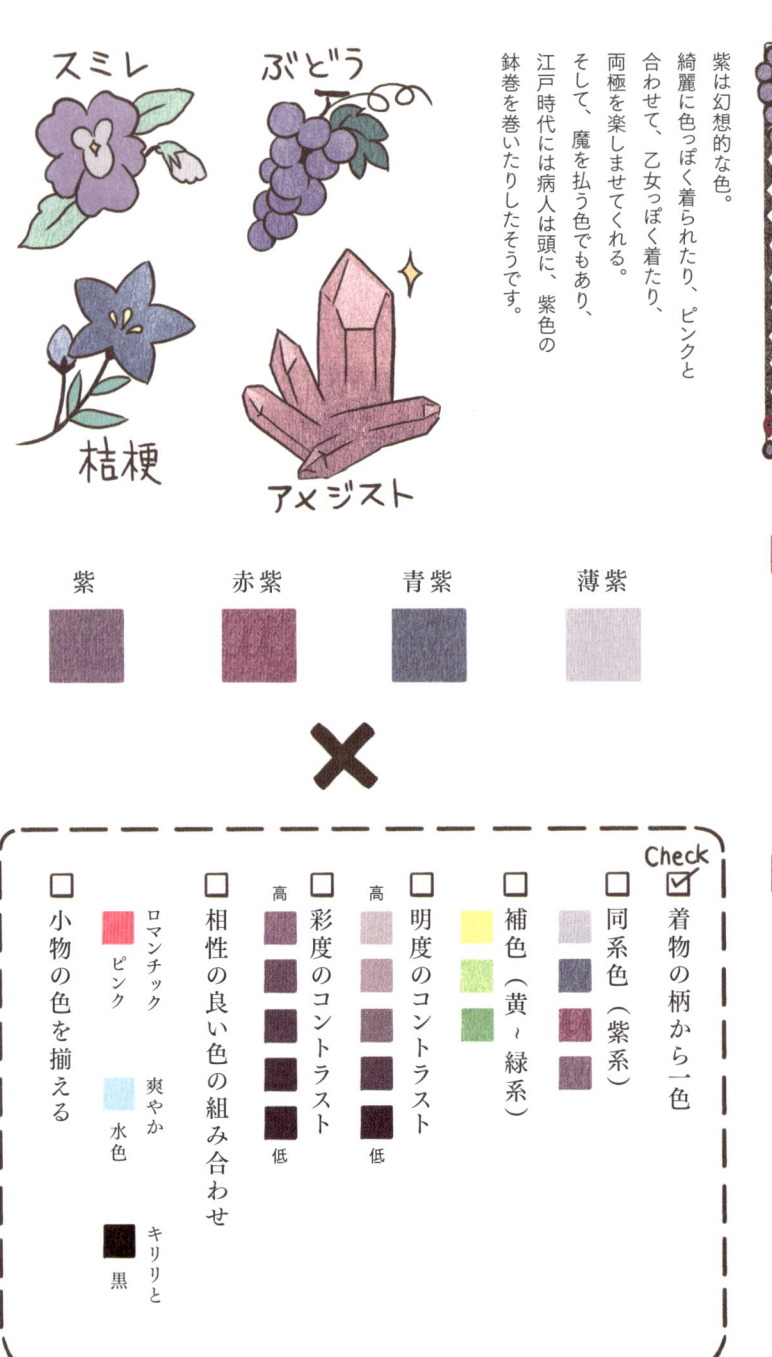

紫

紫は幻想的な色。
綺麗に色っぽく着られたり、ピンクと合わせて、乙女っぽく着たり、両極を楽しませてくれる。
そして、魔を払う色でもあり、江戸時代には病人は頭に、紫色の鉢巻を巻いたりしたそうです。

色見本：紫／赤紫／青紫／薄紫

Check
- ☑ 着物の柄から一色
- □ 同系色（紫系）
- □ 補色（黄〜緑系）
- □ 明度のコントラスト（高〜低）
- □ 彩度のコントラスト（高〜低）
- □ 相性の良い色の組み合わせ
  - ロマンチック ピンク
  - 爽やか 水色
  - キリリと 黒
- □ 小物の色を揃える

20

◆ 薄紫 × 黒
相性の良い色の組み合わせ

◆ 薄紫 × マゼンタ
相性の良い色の組み合わせ

半衿は紫の補色の黄色系のクリーム色に

着物の紫色と相性の良いピンク系のマゼンタの帯でキュートに

紫と相性の良い黒い帯でキリリと引き締める

古典柄でまとめる時は半衿も足袋も白にするとスッキリする

鼻緒も古典柄の鹿の子模様に

紫の菊の刺繍の半衿

ピアス、半衿帯留め、帯締めの色を紫で揃える

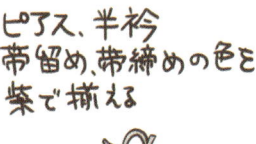

歩くとゆれる

紫のガラスのピアス

◆ 着物の柄から一色とる ＋ 小物の色を揃える

赤紫 × サーモンピンク ＋ ピスタチオ

帯の菊柄に合わせて半衿も菊柄に

帯揚げのピスタチオ色は紫の差し色にするのに相性のいい組み合わせ

菊の帯の後ろ

紫がポイントのブローチを帯留めに

着物の柄の葉っぱに合わせて、帯留めも葉っぱに

22

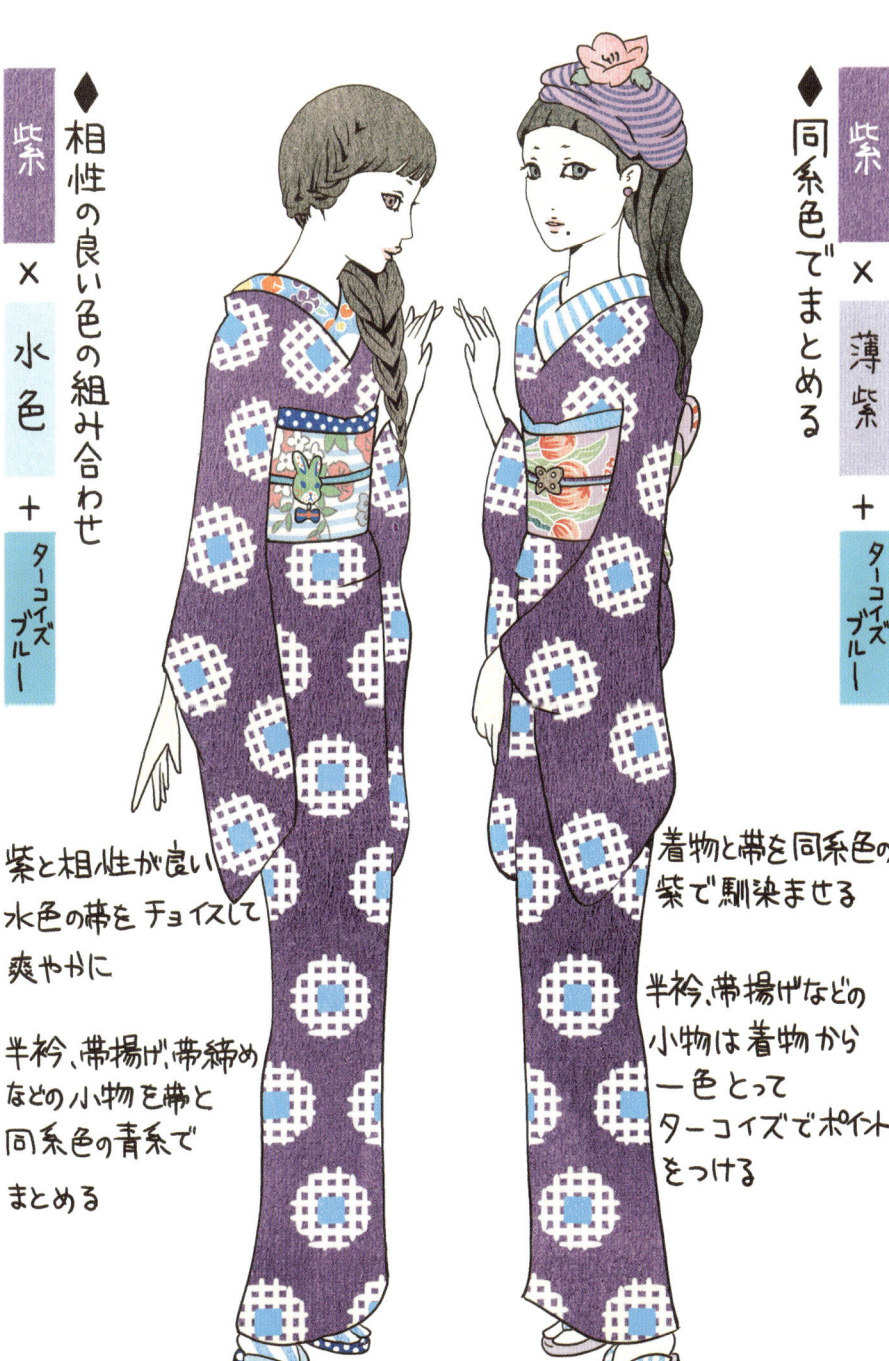

◆ 相性の良い色の組み合わせ

紫 × 水色 + ターコイズブルー

◆ 同系色でまとめる

紫 × 薄紫 + ターコイズブルー

紫と相性が良い水色の帯をチョイスして爽やかに

半衿、帯揚げ、帯締めなどの小物を帯と同系色の青系でまとめる

着物と帯を同系色の紫で馴染ませる

半衿、帯揚げなどの小物は着物から一色とってターコイズでポイントをつける

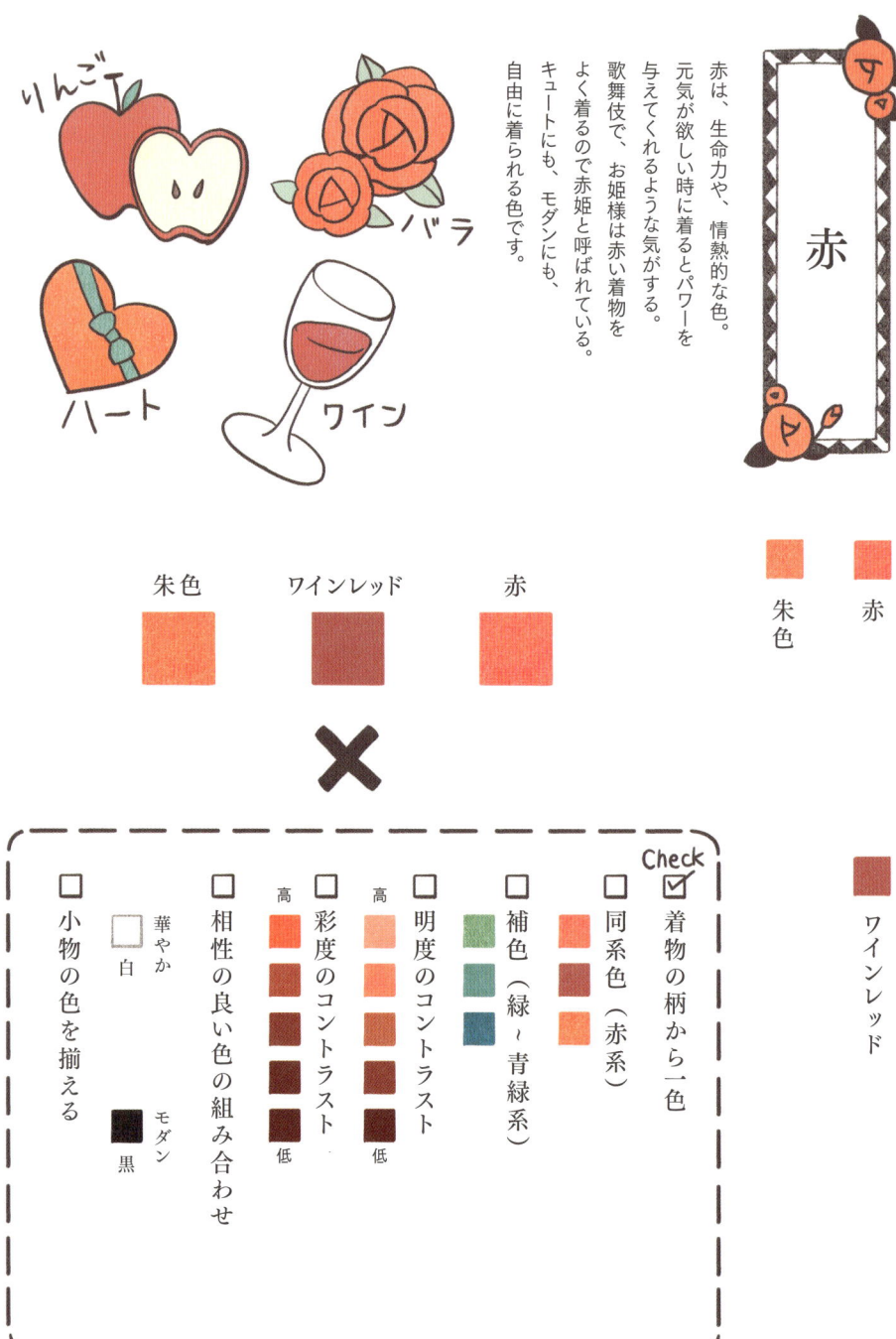

赤

赤は、生命力や、情熱的な色。元気が欲しい時に着るとパワーを与えてくれるような気がする。歌舞伎で、お姫様は赤い着物をよく着るので赤姫と呼ばれている。キュートにも、モダンにも、自由に着られる色です。

朱色　ワインレッド　赤

朱色　赤

ワインレッド

×

Check
- ☑ 着物の柄から一色
- ☐ 同系色（赤系）
- ☐ 補色（緑〜青緑系）
- ☐ 明度のコントラスト　高／低
- ☐ 彩度のコントラスト　高／低
- ☐ 相性の良い色の組み合わせ
  - 白　華やか
  - 黒　モダン
- ☐ 小物の色を揃える

◆ 赤 × 黒 + ゴールド

相性の良い色の組み合わせ

◆ 赤 × 白 + 緑

相性の良い色の組み合わせ

半衿は和キッチュ

赤×黒の組み合わせはモダンカラーの定番

半衿も帯もモノトーンの幾何学模様でまとめるとよりモダンに！

豹柄の帯揚げで少し辛口に

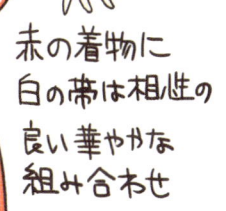

赤の着物に白の帯は相性の良い華やかな組み合わせ

赤の着物に白いサンタの帯でクリスマスコーデ

小物も緑や赤で揃えてクリスマスムードを盛り上げよう

◆ワインレッド × 赤 + 黒

◆補色を使う
朱色 × 黄緑 + 青緑

ピアスと帯留めはちどり子

洋服感覚で着られるボーダーの着物

帯は、着物と同系色の赤でまとめて半衿のチェッカーフラッグを引き立てる

帯揚げ、帯締めは赤糸と相性の良い黒に

着物の補色の緑系を帯と羽織に使ってメリハリを

羽織紐を着物と同じオレンジにしてスッキリと

◆ 朱色 × 赤

同系色でまとめる
＋小物の色を揃える

ベレー帽を斜めに
かぶって
パリジェンヌ風に

色違いの布を
中心で縫い
合せてツートン
カラーの半衿に

帯締めも
着物と同じ
ストライプに

着物と同じ赤色で
帯をまとめる

帯の後ろ

大輪の花の帯

帽子、半衿、帯揚げと
赤色にして
小物の色を揃える

◆相性の良い色の組み合わせ

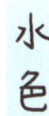

水色 × ピンク + シルバー

◆相性の良い色の組み合わせ

ターコイズブルー × ピンク + 青紫

半衿は帯に合わせてピンク柄でまとめる

ブルーと相性の良いピンクのレース柄の帯でラブリーに

更に、青紫の帯揚げを足して、ターコイズブルー×ピンク×青紫で80年代「キキとララ」のイメージに♥

◆補色を使う

ターコイズブルー × 黄色 + エメラルドグリーン

水色の補色の黄色の帯でメリハリを

帯は豆千代モダン

ターコイズブルーの着物に色味の近いグリーン系を、半衿、帯揚げ、帯締めに

30

◆ 同系色でまとめる

スカイブルー × ターコイズブルー

◆ 着物の柄から一色とる
＋ 明度のコントラストを使う

水色 × 黒

スカイブルーと赤のパンチのある着物は、面積の広いスカイブルーに合わせて、半衿と帯を同系色にして馴染ませる

半衿は着物の柄から一色とって薄紫を

帯の柄の色に合わせて帯留めもグリーンでまとめる

着物の柄から明度のコントラストが強い黒を帯にしてメリハリを

◆ 補色を使う

紺 × 黄色 + ターコイズブルー

青の補色の黄色を帯にしてメリハリを！

帯締めを帯の同系色にして馴染ませる

半衿、帯揚げは、着物と同じ青系の彩度の高いターコイズブルーにして帯の彩度と合わせる

◆ 着物の柄から一色とる

青 × 黒

キノコの半衿は和キッチュ

半衿を白地の柄物にして青×白で爽やかに

帯揚げ、帯締めを着物の青と同じ色にして揃える

着物の柄から黒をとって帯にしてまとめる

青 × 白 ＋ 紫

◆ 着物の柄から一色とる
＋ 相性の良い色の組み合わせ

コットンパールの
ピアスは
マリンルックにもピッタリ！

帯結びに使用した
熱帯魚のヘアゴム
ちどり子作

半巾帯の後ろ

青い着物に
白い帯で
爽やかに

帯は、白地にカラフルな
ボーダーが入っていて
他の色とも合わせやすい

博多織の帯は軽くて
解けにくいから立体的な
結び方に向いている

帽子の白い飾り、
白地に水玉の半衿、
白地の帯と小物も
白で揃える

この半巾帯を使った
「トリプル紐でふわふわリボン
結び」の詳細はP102へ

34

◆ 彩度のコントラストを使う

濃紺 × ワインレッド

濃紺と紺の彩度が低い着物に彩度が高いワインレッドの帯と半衿でメリハリ

帯揚げは帯の色に色相を合わせて赤紫にして馴染ませる

帯締めは帯の柄の色と合わせてまとめる

◆ 明度のコントラストを使う

紺 × 薄茶

半衿は青と相性が良い薄ピンクで顔映りを良くする

明度が低い紺の着物は明度が高い白地に薄茶の帯でメリハリを！

緑

緑は、若葉が芽吹く色。
新緑の色は、見ているだけで心を癒してくれます。
濃い緑に赤を足して、クリスマスを演出することもできます。
かわいい柄にチャレンジしたい人は、中和してくれる緑色を選ぶのもオススメです。

クローバー

エメラルド

メロン

アマガエル

青緑　深緑　モスグリーン　黄緑

深緑　黄緑

青緑　モスグリーン

×

Check ☑ 着物の柄から一色

- □ 同系色（緑系）
- □ 補色（赤～紫系）
- □ 明度のコントラスト　高／低
- □ 彩度のコントラスト　高／低
- □ 相性の良い色の組み合わせ
  - フレッシュ
  - 白
- □ 小物の色を揃える

◆ 黄緑 × 黒 + シルバー

・着物の柄から一色とる
・小物の色を揃える

黒でキリリと！

伊達衿も帯と同じモノトーンのボーダーに

バッグに手袋を入れてパーティの会場の雰囲気に合わせて足したり、減らしたり

帯の後ろ

着物から黒をとって帯、帯揚げ、伊達衿をモノトーンにして着物に馴染ませる

帯締め、バッグ、帯留めなどの小物をシルバーに揃えて光り物でパーティらしく華やかに

◆ 彩度のコントラストを使う

モスグリーン × オレンジ + 茶

着物の彩度が低いので彩度の高いオレンジの帯でメリハリを

帯揚げと帯締めを着物と同じ彩度の低い茶色にして帯を引き立てる

◆ 着物の柄から一色とる

モスグリーン × 黒 + ベビーピンク

着物の黒と合わせて半衿と帯を黒でまとめる

帯締めに着物のベビーピンクをとってかわいさをプラス

着物は、豆千代モダンの「そろばん」柄

38

青緑 × 赤 + 白

◆ 補色を使う
＋相性の良い色の組み合わせ

深緑 × 黄緑 + 黄色

◆ 明度のコントラストを使う

帯は、着物の青緑の補色の赤と白のストライプで爽やかに

帯揚げ、帯締めは着物から一色とって帯を引き立てる

半衿と帯揚げは、着物と同じ水玉でまとめる

明度の低い深緑に明度の高い白地と黄緑の帯でメリハリを！

半衿も帯の柄も、着物と同系色でまとめる

帯締めと帯留めを黄色にしてポイントを

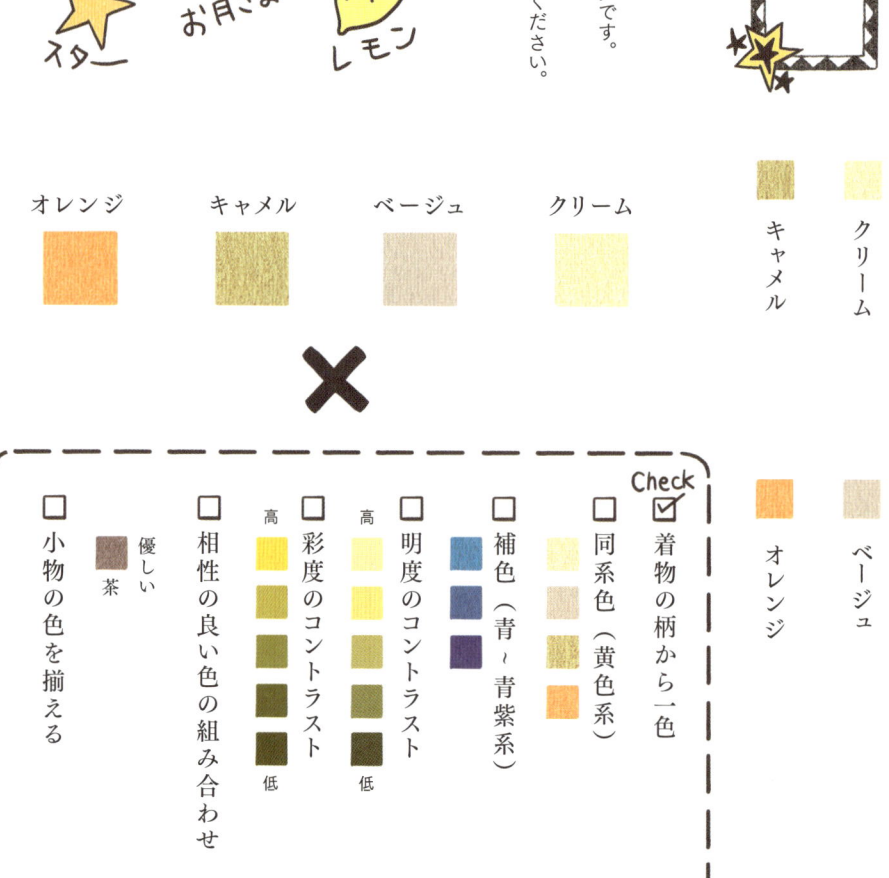

黄色

黄色は、暖かいなごみの色。
しっとり優しく仕上げたい時は
上品なクリーム色や、
落ちついたベージュの着物がオススメです。
元気に、フレッシュに見せたい時は、
ビビッドなオレンジ色を選んでみてください。

オレンジ / タンポポ / スター / お月さま / レモン

オレンジ　キャメル　ベージュ　クリーム

キャメル　クリーム
オレンジ　ベージュ

×

Check
- ☑ 着物の柄から一色
- ☐ 同系色（黄色系）
- ☐ 補色（青〜青紫系）
- ☐ 明度のコントラスト（高〜低）
- ☐ 彩度のコントラスト（高〜低）
- ☐ 相性の良い色の組み合わせ（優しい茶）
- ☐ 小物の色を揃える

◆ 着物の柄から一色とる

クリーム × 紫 + ベビーピンク

着物から一色
とって紫色の帯に

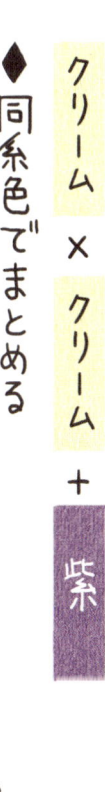

紫と相性の良い
ピンク系を
半衿と帯締めに

帯と同じ紫系の
帯揚げをして
着物を引き立てる

◆ 同系色でまとめる

クリーム × クリーム + 紫

帯を着物と
同系色の
クリーム色で
馴染ませる

半衿と
帯締めを
着物の中から
一番目立つ
紫を選んで
小物で
メリハリを

ベージュ × 茶 ＋ 赤

◆ 相性の良い色の組み合わせ
＋ 明度のコントラストを使う
＋ 小物の色を揃える

トランプ柄の
ハギレを帯揚げに

ベージュの着物に
茶色の帯は優しい色の
組み合わせ

帯に合わせて
帯揚げ、帽子、手袋、足袋も
茶色で揃える

差し色は、着物の一番
面積の小さい赤を半衿と
帯締めに

ゴールドの鳥の
ブローチを帯留めた

ゴールドは茶色とも
相性が良い

42

◆相性の良い色の組み合わせ

オレンジ × 茶 ＋ 緑

オレンジの着物と相性の良い茶色の帯でまとめる

半衿、手袋を緑、帯揚げを紫にしてオレンジと緑と紫でハロウィンカラーに！

◆補色を使う

キャメル × 紫 ＋ 黄緑

キャメルの着物の補色の紫糸の帯でメリハリ！

紫の帯と相性の良いピンクの帯締めでかわいらしく

キャメルに合わせて半衿に黄色みの強い黄緑で馴染ませる

43

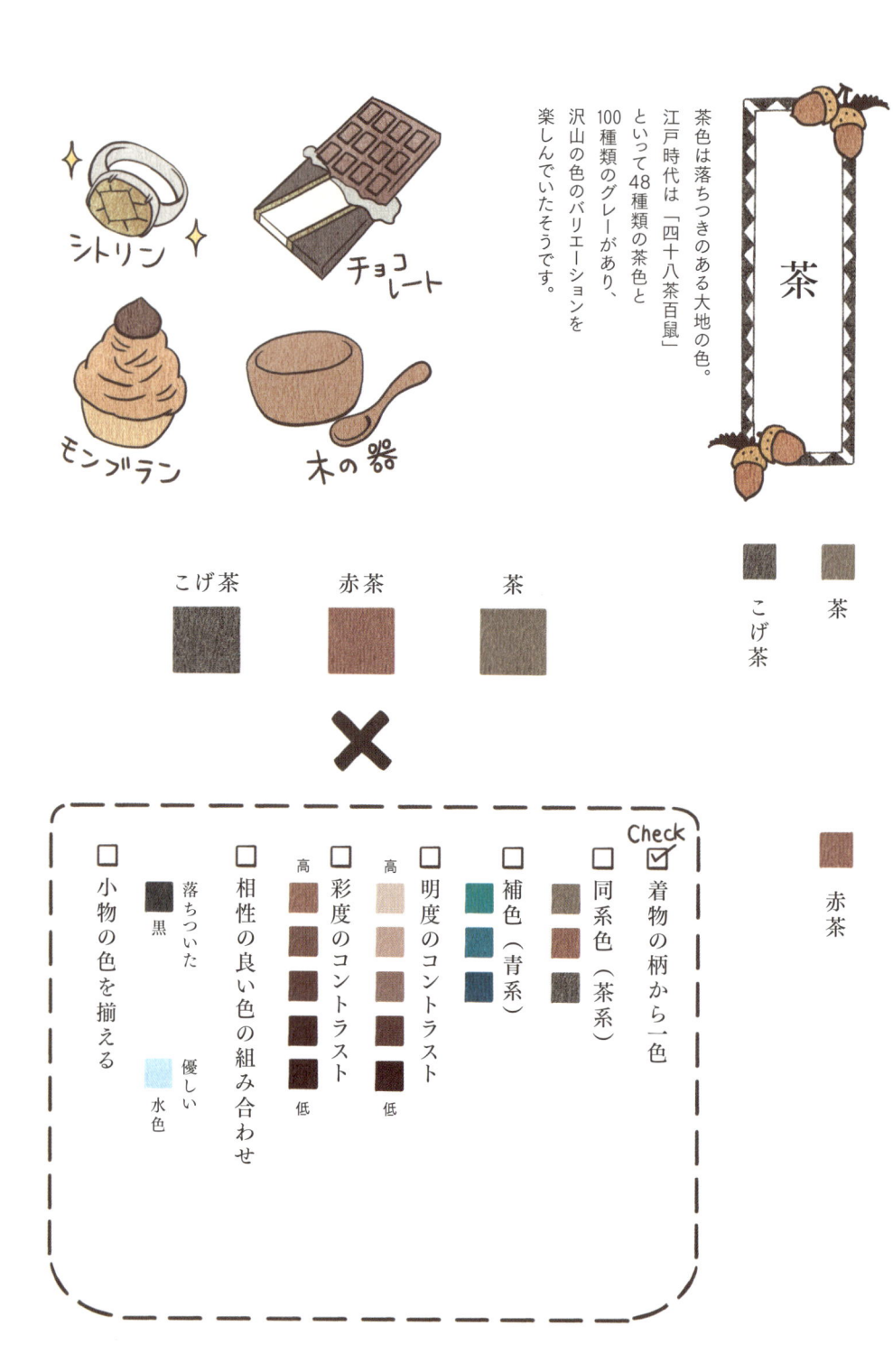

茶

茶色は落ちつきのある大地の色。江戸時代は「四十八茶百鼠」といって48種類の茶色と100種類のグレーがあり、沢山の色のバリエーションを楽しんでいたそうです。

シトリン
チョコレート
モンブラン
木の器

こげ茶　赤茶　茶

こげ茶
茶
赤茶

×

Check
☑ 着物の柄から一色
☐ 同系色（茶系）
☐ 補色（青系）
☐ 明度のコントラスト　高／低
☐ 彩度のコントラスト　高／低
☐ 相性の良い色の組み合わせ
　　黒　落ちついた
　　水色　優しい
☐ 小物の色を揃える

茶 × 赤	◆着物の柄から一色とる

着物の水玉の
赤を帯にして
まとめる

帯締め、半衿も
赤が入った柄に

帯留めは
帯締めの
柄から一色とって
ゴールドを

赤茶 × 黒	◆相性の良い色の組み合わせ

茶系と相性の
良い黒い帯で
キリリと
引き締める！

帯締めは
着物の
黄土色にして
ポイントを

帯揚げは
着物の中で彩度
が低い深緑で
落ちついた印象に

| こげ茶 × ベビーピンク + 水色 | ◆ 着物の柄から一色とる ＋ 明度のコントラストを使う | | ◆ 相性の良い色の組み合わせ こげ茶 × 黒 + 水色 |

着物のピンクを
帯と半衿に使って
まとめる

着物は明度が
低いので
帯はピンクの中
でも明度が高い
ベビーピンクで
メリハリを

帯は
豆千代モダン

茶色の着物に
黒の帯は落ちついた相性の良い
組み合わせ

茶色と相性の良い
水色を半衿に

着物のピンクに
帯揚げと帯締め
を合わせてまとめる

◆ こげ茶 × 黄色 ＋ 黒

彩度のコントラストを使う

アンティークの
ハギレを半衿に
半衿も帯の色に
合わせて黄色系で
まとめる

帯締めは
茶色と相性が良い
黒色のチェック

着物の彩度が低いので
帯は、彩度の高い
黄色とオレンジで
メリハリを

モダンな簪

古典柄には
シンプルなまとめ髪に
簪がマッチします

黒

黒やグレーは、他の色を引き立てるのが上手な色。華やかな柄や、ビビッドな色が少し苦手という人も、黒やグレーの着物を上手く使ってビビッドな色を小物に取り入れるとお互いが引き立て合い、大人のオシャレになります。

- 黒出目金
- コーヒーゼリー
- あんこ
- ジェット

黒 / グレー / ライトグレー

黒 / ライトグレー / グレー

Check
- ☑ 着物の柄から一色
- ☐ 同系色（黒系）
- ☐ 補色（白系）
- ☐ 明度のコントラスト　高〜低
- ☐ 彩度のコントラスト　黒は無彩色なので彩度はない
- ☐ 相性の良い色の組み合わせ
  - ビビッドな色全般　マゼンタ
  - ターコイズブルーなど
- ☐ 小物の色を揃える

スカーフを
折り畳んで
半衿に

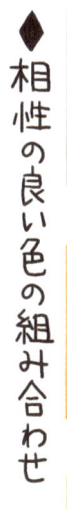

着物の柄から緑を
とって半衿と帯揚げも
緑系でまとめる

半巾帯の後ろは
カルタ結び♪

この結び方は、長時間
座っても楽♥結び方は
前作「きもの番長」のP102へ

◆相性の良い色の組み合わせ

ライトグレー × オレンジ ＋ 黄緑

カラフルな
レインボーカラーの
帯締めでポイントを！
色々な色が入ってる
小物は合わせやすい

グレーの着物に
ビビッドなオレンジと
黄緑の帯が引き立つ
相性の良い組み合わせ

◆ 相性の良い色の組み合わせ

黒 × 赤

黒が苦手な人はモノクロの着物の時は白の割合が多いものを選ぶと着やすい

半衿や帯揚げをモノトーンにして着物と馴染ませて帯の赤を主役にする

帯は、著書「きもの番長」のP80のアールデコの羽裏を名古屋帯に仕立ててもらいました♥

着物は豆千代モダンの千鳥

◆ 着物の柄から一色とる

ライトグレー × マゼンタ ＋ 青

着物の柄から赤をとって帯と半衿は赤系でまとめる

半衿、伊達衿、帯揚げは、kimono163

帯締め、帯揚げも着物から青色をとって揃える

50

◆ 同系色でまとめる

黒 × 黒 ＋ 紫

羽織も着物と
同じ黒系で
まとめる

羽織から紫をとり
帯と半衿も紫に

黒地に小さな
十字模様の着物
は遠くからは
無地に見えて
着回しやすい

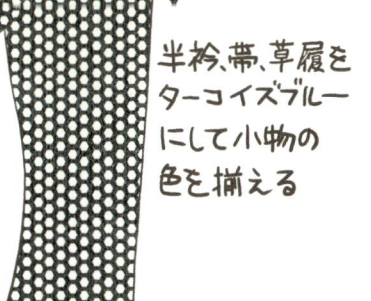

◆ 小物の色を揃える

黒 × ターコイズブルー

半衿、帯、草履を
ターコイズブルー
にして小物の
色を揃える

帯締めは
着物のモノトーン
に合わせて
つなげる

・暑い日の話・

あー〜暑い〜けど…
着物着たい〜
いらっしゃーい
スイカ切ったよ！
よろ〜
暑くてもエ夫でなんとかなるよ！
はいお塩

インナーは衿ぐりの広いTシャツがオススメ
速乾性のあるもの
例：エアリズム

衿ぐりが広いと後ろからも見えないよ
ここ
大事

ショーツは、夏着物は生地が薄いので線がひびかないものを
ローライズ！
例：レースのショーツ
更に、浅ばきだと、トイレの時に腰ひもに引っかからない！

襦袢は、綿のレースの筒袖の半襦袢か麻の襦袢が
レース袖は着物のどの袖丈にも合う
洗えてオススメ！
半襦袢の下は、ステテコが汗が足にまとわりつかず歩きやすい！
麻は風通しがいい！

これも浅ばき
例：注文の多いキモノ店 ロングレースステテコ
足首までのロングサイズなら裾よけいらず！
夏は一枚でもへらしたい

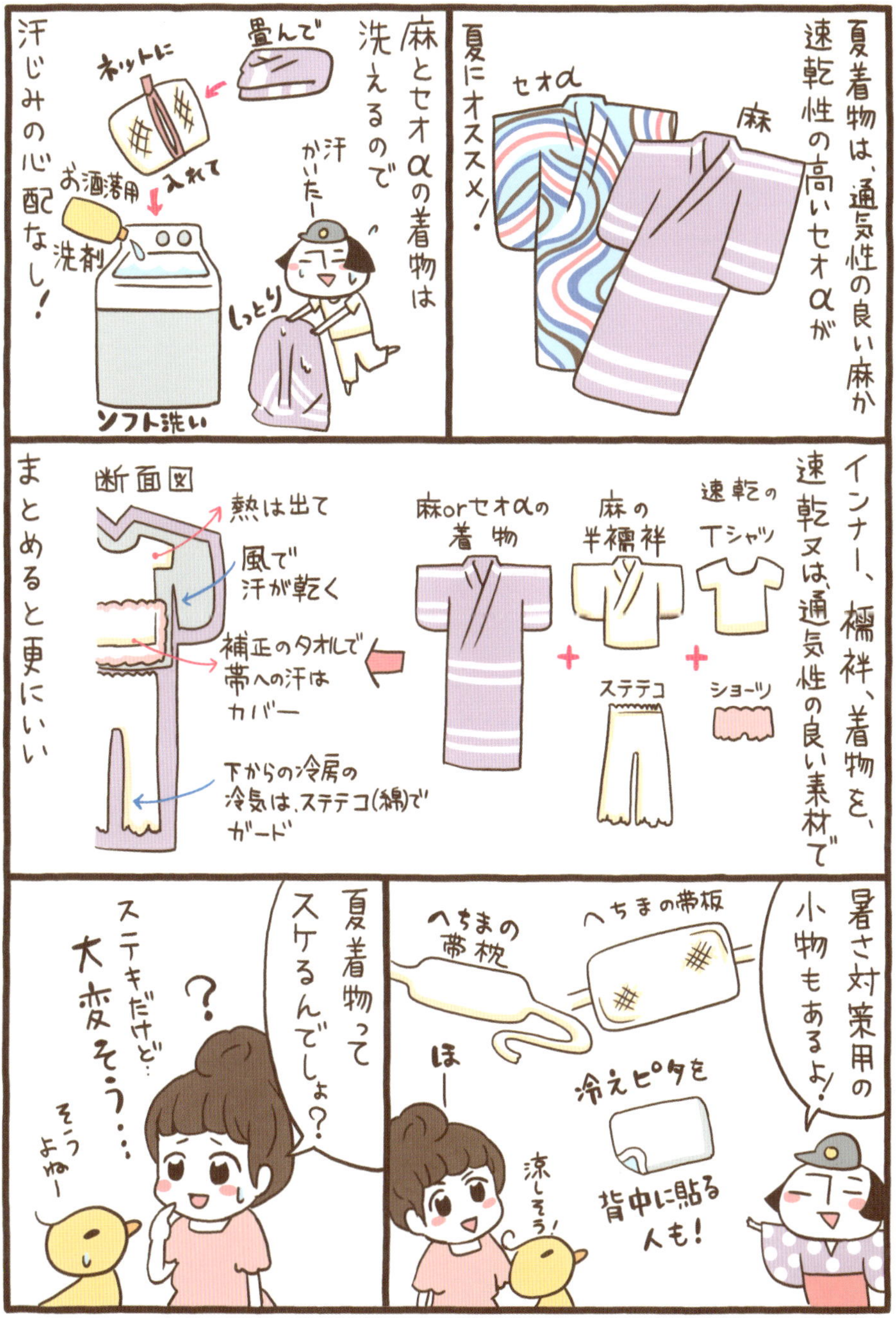

夏着物は、通気性の良い麻か速乾性の高いセオαが
夏にオススメ!
セオα
麻
麻とセオαの着物は洗えるので
汗かいたー
しっとり
畳んで
ネットに
入れて
お洒落用洗剤
ソフト洗い
汗じみの心配なし!
インナー、襦袢、着物を、速乾又は、通気性の良い素材で
速乾のTシャツ
ショーツ
麻の半襦袢
ステテコ
麻orセオαの着物
断面図
熱は出て
風で汗が乾く
補正のタオルで帯への汗はカバー
下からの冷房の冷気は、ステテコ(綿)でガード
まとめると更にいい
暑さ対策用の小物もあるよ!
へちまの帯板
へちまの帯枕
冷えピタを背中に貼る人も!
ほー
涼しそう!
夏着物ってスケるんでしょ?
?
ステキだけど大変そう…
そうよねー

着物のスケ感は…

絽	麻	ジョーゼット	紗

厚 ←→ 薄

・レースの筒袖の半襦袢でOK
・長襦袢 袖の丈も着物に揃える

絽や麻だとレースの筒袖の半襦袢でも大丈夫！

実は…私まだ夏着物を持ってないんだよね…

今すぐ着たい…

浴衣でもOKだよ！

浴衣の下に、半襦袢か美容衿をつけるだけで

ね！

夏着物風に！

おぉー

そしてなるべく暑くないように工夫する

扇子
日傘
着付け中はクーラー強め

夏でも楽しめるよ♥

ひんやり

それは…涼しいよね

ゴー

54

【実践】

手持ちの浴衣で夏着物を楽しむ

◆夏着物に向いている浴衣

半衿にプラス帯締め、帯揚げでより着物らしく

◆向かないタイプはさっぱり一枚で♡

向いていない生地はコーマ地（昔からある分厚い綿）等

紺地に白抜きの大柄な古典柄等

パリッと1枚で

これならできそう

なるほど

白いレースの足袋はどの浴衣にも合わせやすい

浴衣を夏着物として着るのに向いている生地は、綿絽、綿紅梅、絹紅梅、綿麻セオα等（スケ感のあるもの）

小紋のような柄幾何学模様等

浴衣と帯は豆千代モダン

コラム2 Goods
I ♥ Birds
鳥モチーフ
ビーズ製のインコのピアス
片耳でもポイントになる
大江戸和子で買った♥
中に花が入ってるフラミンゴのピアス
木製の青鳥
幸せは、すぐ側にある…ということ？
友人がB.Dでくれた
これからスタートした！
プレゼントでもらったり…集まってきた♥
私もとりだゆ
小さいピアスなどのアクセサリーを入れてる
ガラス製の小物入れ
オカメインコのブローチ
帯留めにしたり、ワンピースにつけたり
国立新美術館のミュージアムショップでみつけた
上野動物園にいるハシビロコウ♥
次はハシビロコウモチーフのアクセが欲しい…
写真を沢山とった！
カシャッ
ハトと雲のリング
表に3羽もいる！
裏にスターがある所がツボ
アールデコ風のクジャクのリング
フォーエバー21は時々おもしろいアクセがある♥

二章 テッパン柄で着回す

テッパン柄で着回す

前章では、色についてお話ししました。この章では、着回ししやすい着物のテッパン柄についてお話ししていきます。最初の一枚にオススメの着物は、幾何学模様です。ストライプ、水玉、チェック等の柄です。幾何学模様は昔からあり、着回しがきくので江戸時代の頃から庶民の強い味方でした。着回しがきく理由が5つあります。

【その①】
柄が季節に関係ない。
着物は季節を感じながら着るのも魅力ですが、「この梅の帯と、ツツジの着物は色は合うのに季節が合わない！」ということもなく、ストレスなく着ることができます。そして、幾何学模様の着物があれば、少ない着物でも、帯や小物に季節を取り入れて季節感を楽しむことができます。

【その②】
バリエーションが豊富なので似合う柄が見つかる。
着物の中でも、幾何学模様は種類が沢山あります。ストライプや水玉、チェック、麻の葉や、三角形を並べた鱗柄や水玉など、他にも沢山あります。

そして、同じストライプでも、巾が違うだけで印象がまったく変わります。まずはどんどん試着してみて自分に似合う柄を探しましょう。

【その③】
買いやすい。
着物の中でも幾何学模様は定番なので見つけやすいのであります。アンティークからリサイクル、現代も着物が、どのタイプの帯でも相性がいいのでオススメです。アンティークより最近のものなので、幾何学模様が沢山あります。また、これらは比較的お手頃価格なので、初心者さんにもオススメです。

【その④】
背が高い方もサイズがある。
幾何学模様はリサイクルや現代物のプレタにもあります。アンティークより最近のものなので、サイズが大きめです。現代物のプレタは、背が高い人用のTLサイズがオススメです。更に、片貝木綿や伊勢木綿等の木綿の反物もモダンな幾何学模様があります。反物からマイサイズに仕立てることもできますし、お値段もプレタと同じくらいです。

【その⑤】
どの柄のテイストとも組み合わせやすい。

着物のコーディネートは、色の組み合わせの他にも、大切なことがあります。それは、柄のテイストの組み合わせです。古典、大正ロマン、昭和モダン等があります。同じテイストや、柄が生まれた時代が近いもので合わせるのが良いです。

アイテムが少ない最初の頃は、幾何学模様の着物が、どのタイプの帯でも相性がいいのでオススメです。特にストライプの帯の幅が1センチくらいのモノクロ色の着物は、古典から昭和モダンの帯まで幅広くカバーしてくれます。この時、帯以外のアイテムも柄のテイストを合わせるとまとまりやすくなります。

そして、着回しのきく帯や半衿、帯揚げ、帯締め、足袋、草履等の小物には、幾何学模様の他に、季節を問わない柄もオススメです。かたばみや蔓等の多年生植物、猫や兎などの動物柄、こうもり等の縁起の良い吉祥文様、トランプやリボン等のモダン柄です。逆に四季折々のいろんな花々や植物を一枚に取り入れたものも、季節をまたいで、使えるので重宝します。

これから、幾何学模様の中でもモダンに見える柄の着物を使ってコーディネートを紹介していきます。

◆ モダンな幾何学模様

● ストライプ系
★ 定番のストライプ系
● 変化球のストライプ系 
★ 定番のストライプに慣れたら変化球のストライプ系

巾が狭い ／ 粋・古典
♥ 両方OKなハイブリット
モダン ／ 広い

まずは、色々と試して似合うものを探して

たてわく

ボーダー
マリンルックにもなる！

うずまき

斜めストライプ
クールな印象

● 水玉系
★ 安定のかわいさ
● チェック系
★ 昔からある柄から新しい柄まで 

小さい ／ 大人かわいい
大きい ／ ポップ

アーガイル

タータンチェック

大きな格子

ギンガムチェック
♥ 白地の方がコーディネートがしやすい

ドット

水玉

大きな水玉

他にも色々な幾何学模様があるよ！

テッパン柄の着物

◆ストライプ
・モダンに

中ガーセンチくらいのが着回ししやすい♡

・スパイシーに

着物は豆千代モダンのキャンディーストライプ

パンチのあるヒョウ柄で辛口コーデ

ストライプの着物で色々なテイストの帯と合わせる
ストライプの中でも モノトーンは着回しやすさNo1！

・こっくり大正ロマンに

半衿はアンティーク着物のハギレ

太い帯締めでより大正ロマンらしく

・しっとり古典に

アクセサリーは控えめ

半衿も帯も古典柄で統一

古典柄の時は半衿も足袋も白地にするとすっきり上品な着こなしに

◆水流

・ソーダコーデ

ハットで辛口に

・麦わらハットでマスキュリンに

水流に水玉で炭酸水の泡をイメージした

きもの道楽のセオαの浴衣を単・夏着物としてコーデ

幾何学模様×幾何学模様の組み合わせ

・白地の帯と雪輪の帯留めでかき氷コーデ

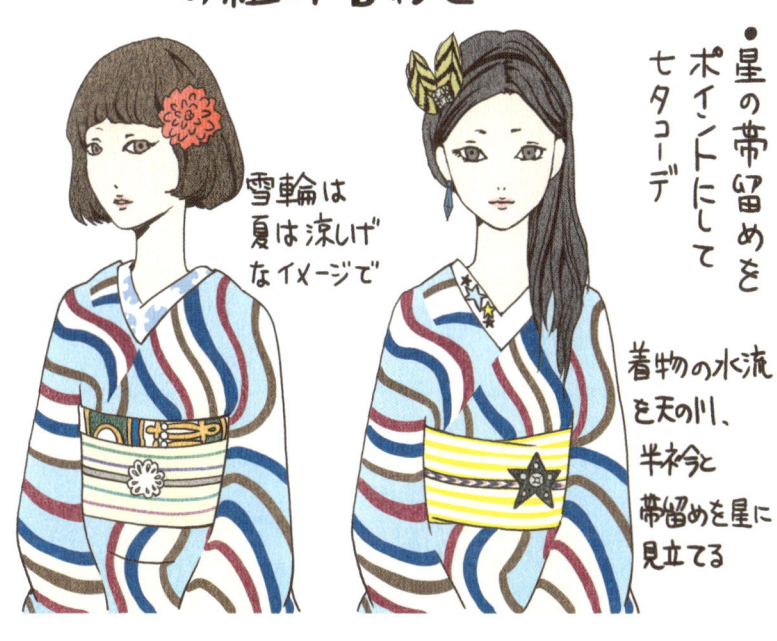

雪輪は夏は涼しげなイメージで

・星の帯留めをポイントにして七夕コーデ

着物の水流を天の川、半衿と帯留めを星に見立てる

◆水玉

春 桜の帯で

小物も、春らしく爽やかな水色の半衿と、ビビッドなピンクの帯締めに

1〜4センチくらいのサイズの水玉が古典もモダンも着回しやすい

バラの帯で 初夏を

バラ柄は意外と長い期間着られる

初夏に着る時は、小物を白地にしたり半衿をレースにして軽やかに

小物でも季節感を出す

帯を季節の花々にして着物1枚で季節を楽しむ

冬 椿の帯で

帯のこっくりとした赤色に合わせて半衿も赤で暖色に

秋 菊の帯で

古典は小物をシンプルに

帯に合わせて半衿も菊にして秋らしく

◆ドット

・木綿のドットでほっこり

・70S少女マンガコーデ

半衿の緑にリボンを縫いつける

半衿と帯留めと帯のモチーフをマーガレットにして揃える

帯締めを赤と白のストライプでキャンディキャンディのイメージ！

赤の補色の黄緑で、帯と半衿を統一

赤いドットでキュートに 茶色のドットで大人コーデ

◆小さめのドット

・大人かわいいミルクティーコーデ

・黒の帯でキリリと大人コーデ

全体をダークな色でまとめて帯留めに着物の柄と同じ赤でポイントをつける

全体を茶色のグラデーションにしてまとめる

帯回りを淡いミルクティー色で上品に

プチプラでモダン柄の ウールの着物

◆タータンチェック
・英国のタータンチェックと音符の帯でロックに

・アールデコの帯でモダンに

赤と黒はモダンなカラーリングの定番！

半衿も千鳥で洋風のイメージに

リサイクルで2千円で買った♪

◆アーガイル
・大好きな「アナスイ」をイメージしたコーデ

・チョウの帯とレースで春の妖精コーデ

レースの半衿を伊達衿に

半衿、帯揚げを薄ピンクと黄緑にして小物をスプリングカラーに

帯や小物の色を黒、紫、ビビッドなピンクのアナスイカラーに

柄やモチーフも小花やチョウに

◆ギンガムチェック

・洋花と青い水玉の帯で爽やかに

洋花や想像上のお花は季節に関係なく着られて便利♥

・洋花柄の黄色の帯でポップに

帯揚げをリボンに結んでポイントに

帯もシーズンフリーな柄にしてもっと自由に着回す

◆大きな格子

・60's風の帯でサイケデリックに

サイケ柄の帯に合わせて半衿もパンチがある柄をチョイス

・デッドストック布で作った帯でレトロに

レトロな柄の帯に合わせてレトロ柄のスカーフを半衿に

◆季節を問わない柄

テッパン柄の帯

＊幾何学模様

- 千鳥格子
- チェック
- 水玉
- ウロコ柄
- ストライプ
- 麻の葉
- ボーダー

ウロコ柄と麻の葉は古典柄や粋系とも相性良し

定番だね！

＊花柄

これだと2シーズン使える

- 春と秋などの四季の花々
- 洋花or想像上の花

＊多年生植物

- 葉っぱ
- カタバミ

カタバミの花は春だけど葉は一年中ある

＊動物柄

- ネコ
- とり
- うさぎ

＊etc...

- レース柄
- トランプ

他にも、リボン柄等かわいいものが沢山

いいわ

◆ テッパンのアイテム
シーズンフリーな小物

* 楽しい動物の帯留め *

yuminiqueのしまうまのブローチ

ネコ

トカゲ

うさぎ

ブローチを帯留めにする方法はP88へ

動物のモチーフも季節問わず便利♥

青い鳥

* 半衿 *

ボーダー

きもの番長のリバーシブル半衿

やっぱり半衿も幾何学模様が使える！特に白地がベースのもの

* 根つけ *

フォーエバー21の時計のペンダントを改造！

水玉

フェルトにステッチしてあるビビッドなリボン

ストライプ

* 帯留め *

ハートや星、リボンもシーズンフリーね

エナメルにラインストーンの星 ロックコーデに合う

* 帯揚げ *

・寒い日の話・

うーん羽織を着ても寒くなってきた・・・
こんにちはー
ピンポーン
ぶる
ぶる
ヒュー
いらっしゃーい
寒くても工夫で
ポカ ポカ
着物を楽しめるよ♥
あったかそう!
すんごい厚着だねー
冬じたく
インナーは
春・秋
衿ぐりのあるTシャツ
裾よけ
冬
長袖Tシャツ
肘の上まで巻くと腕を上げても見えない!
裾よけ
浅ばきのスパッツ
中に
真冬
長袖Tシャツ
裾よけ
カシミロンの腰まき
浅ばきのスパッツ
中に
中に
冷え性の番長スペシャル
頭寒足熱で下に足していく
初心者の冬の強い味方!
ウールの着物!
単でも冬に着る!
昭和に大ブーム!
普段着の強い味方!
ウールの着物はお手入れが楽!!
畳んで
ネットに入れて
ウール用の洗剤
ソフトモードでOK
冬はあまり汗をかかないから季節の終りに洗うといいよ

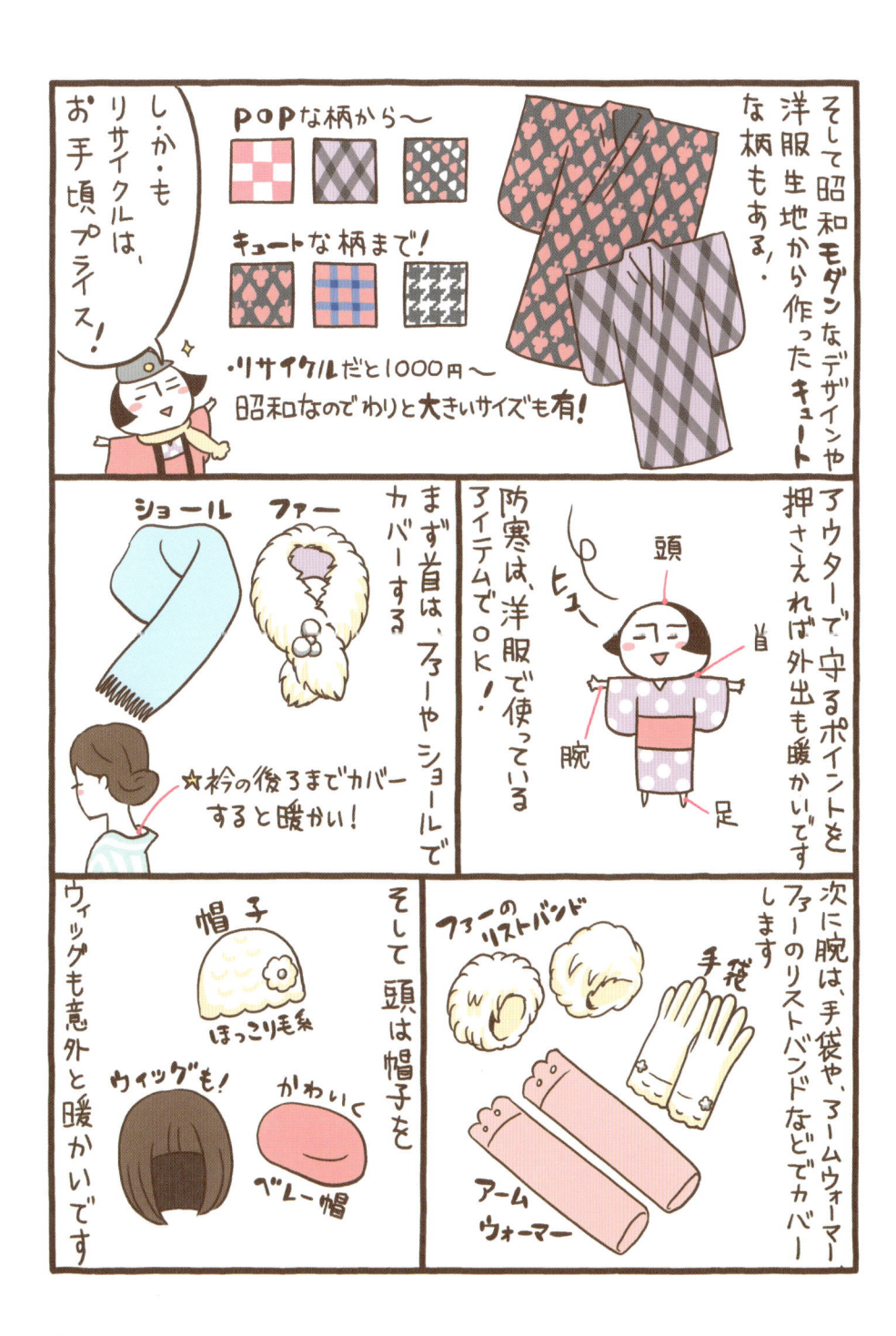

そして昭和モダンなデザインや洋服生地から作ったキュートな柄もある！

popな柄から〜
キュートな柄まで！

・リサイクルだと1000円〜
・昭和なのでわりと大きいサイズも有！

し・か・も リサイクルは、お手頃プライス！

アウターで守るポイントを押さえれば外出も暖かいです

頭
首
腕
足

防寒は、洋服で使っているアイテムでOK！

まず首は、ファーやショールでカバーする

ショール
ファー

☆衿の後ろまでカバーすると暖かい！

次に腕は、手袋や、アームウォーマー、ファーのリストバンドなどでカバーします

ファーのリストバンド
手袋
アームウォーマー

そして頭は帽子を

帽子
ほっこり毛糸
かわいくベレー帽
ウィッグも！

ウィッグも意外と暖かいです

最後に、一番冷える足元！
・五本指ソックス ＋ 足袋
・真冬は レッグウォーマーでぬくぬく
別珍は暖かい！

更に、暖かく雨にも強いのはブーツ！
雨でも平気！
ジッパーがあると楽！
一日雨の日でもかかとがぬれない♥（大事！）
飾りが少ないほうが着物の裾の糸に引っかからない！

ムートンブーツはシルエットが雪靴そっくり
雪んこスタイル
寒

簡単なのは、草履カバー！
いつもの草履につけるだけで
つま先が暖かい
裏
マジックテープで留める
ここに鼻緒を入れる

ブーツの時は、丈を短くすると歩きやすい
着丈が足りない着物にも合うよ♥
なるほど

寒がりねぇ…
じゃそういうことで…
春になったら起こしてね♥
冬眠にはまだ早い！
ガシッ
シュタッ
サッサッ

70

実践 季節とアウター

冬 厚いウール

冬本番は厚手のウールのコートを！撫松庵のコートは袖口がリブになっていて暖かい♥

裏地が紫♥イヤーン ピラ

秋 薄いウール

羽織で寒くなったら、ウールの薄手のコートを

裏地が水玉でお気に入り！

春 道行コート

寒さが和らいだら道行を♪薄くて軽いので暑くなったらバッグに入れてもOK

アンティークのオウム柄の道行

寒さも乗りきれそう♪

初夏 レース

まだ朝晩寒い時はレースのマントを。防寒＆帯のカバーにも

マントだから着物の袖丈を合わせなくていいから楽♪

袖丈

コラム3 ENTERTAINMENT

歌舞伎

◆玉三郎さんの"鷺娘"
息を呑む美しさ！
流し目が妖艶すぎて目が離せない
雪がこれでもかというほど降る！

Music

◆プラチナ・ジャズ
北欧の凄腕ジャズメンが演奏する"アニソン・ジャズ"
10人以上メンバーがいる
こんなにセクシーなはじめてのチュウ聞いたことないわ!!(笑)

演劇

◆美輪明宏さんの"黒蜥蜴"
原作江戸川乱歩・脚本三島由紀夫
明智小五郎
黒蜥蜴
セリフ回しが秀逸！
黒トカゲのタトゥーシール買った♡
原作の小説も、映画の「美輪さん版(68年)」も「京マチ子さん版(62年)」もどれもサイコー!!
優しいこの腕の黒トカゲ

バレエ

◆モンテカルロバレエ団！
一流の男性ダンサーたちの"瀕死の白鳥"
笑いと美しさのバランスが絶妙！瀕死だ！
死にそうで死なない(笑)
ムチーン
男性ダンサーならではの力強い躍動感ある踊り！
笑いすぎて私が瀕死だ！

三章 洋小物MIXでモダンに着こなす

洋小物でモダンに着こなす

着物のコーディネートが決まったら、最後の味付け小物選びをします。スイートにするかスパイシーにするかは料理と同じです。貴方らしい個性が一番だせるところです。モダンにするには、和と洋をミックスするスタイルがあります。ヘアスタイルにカチューシャやバレッタを使ったり、アクセサリーを足してみたり、小物を洋服に使ってるアイテムで少し外すと簡単にモダンになります。

もちろん、全部一気に取り入れなくても大丈夫！まずは普段自分が使っているワードローブを改めて見てみると「あら！このアクセサリー使えるんじゃない？」「むむ！このブローチ、帯留めにできるんじゃない？」と『着物に使えるかも？』というスイッチさえ入ってしまえば、自動的に普段のショッピングでさえそういうふうに見えてきます（笑）。そしてコーディネートしながら、これは足りないな、これはやり過ぎた引いていこうと、行く場所によって、足し算をしたり、引き算をしていきます。

例えば、私はお洋服の友達と会う時は、幾何学模様の着物で髪もシンプルにまとめてカチューシャにして、相手に気を負わず、「着物でも洋服みたいなモダンな着方があるのね！」と距離が近くなるようなモダンな着物や小物を選びます。

お着物を盛るのが大好きな着物友達と会う時は私も盛り盛りコーデ全開です！ここぞとばかりに盛って一緒に楽しみます。レストラン等のカジュアルなパーティでは、カバンの中に、アクセサリーやヘアアクセを入れて出かけます。会場に着くと、会場の雰囲気や人々の服装を見て、盛ったほうがいいなと思ったらレストルームでヘアアクセやアクセサリー、手袋等をつけます。思ったよりカジュアルな場合は、何もつけずそのままでいます。

こうして楽しみながら貴方ならではのスタイルが見つかっていきます。貴方流にどんどん着物を楽しんでくださいね。

【ヘアスタイル】
いつもの洋服の時より、編みこみをしたり、ねじったり大きめのヘアアクセをつけても着物だと自然にとけこみます。自宅でも簡単にできるアイテムを使って顔回りを華やかにしましょう。

【耳元】
ヘアスタイルはシンプルにしたい！という方は、耳元に大ぶりなピアスやイヤリングでポイントを作ると、メリハリのある大人のモダンスタイルになります。

【バッグ】
コーディネートをモダンにした時は、少し個性的かなぁ？と思うようなアクセサリー感覚のコーディネートを楽しめます。

【衿元】
シンプルな着物に、レースを使って衿元を華やかにしたり、スタッズ等を縫いつけて、簡単な手作りで色々と遊ぶことができます。

【足元】
かわいい柄足袋が沢山あります。シンプルな草履を選ぶと、いろんな柄足袋と相性が良いです。草履以外にもショートブーツや、ストラップシューズもモダンな装いにピッタリです。

【帯回り】
帯留めも、ブローチ等を使うと、コーディネートの幅がぐっと広がります。

【手元】
ネイルを着物や帯の色に合わせたり、指輪のモチーフと帯の柄を合わせたり、小さい面積で

着物×洋小物

・衿元・
スタッズ
レース
衿元を変えると個性的に！
・ヘアスタイル・
帽子
バレッタ
カチューシャ
ヘッドドレス
・耳元・
ピアス or イヤリング
イヤーフック
・帯回り・
ブローチ
バラ
ハチ
チョウ
・手元・
手袋
ネイル
バングル
指輪
・バッグ・
カゴバッグ
・足元・
ストラップシューズ or パンプス
ブーツ
最初はどれか1つとり入れればOK！
慣れてきたらいろいろ組み合わせたりしてね♪

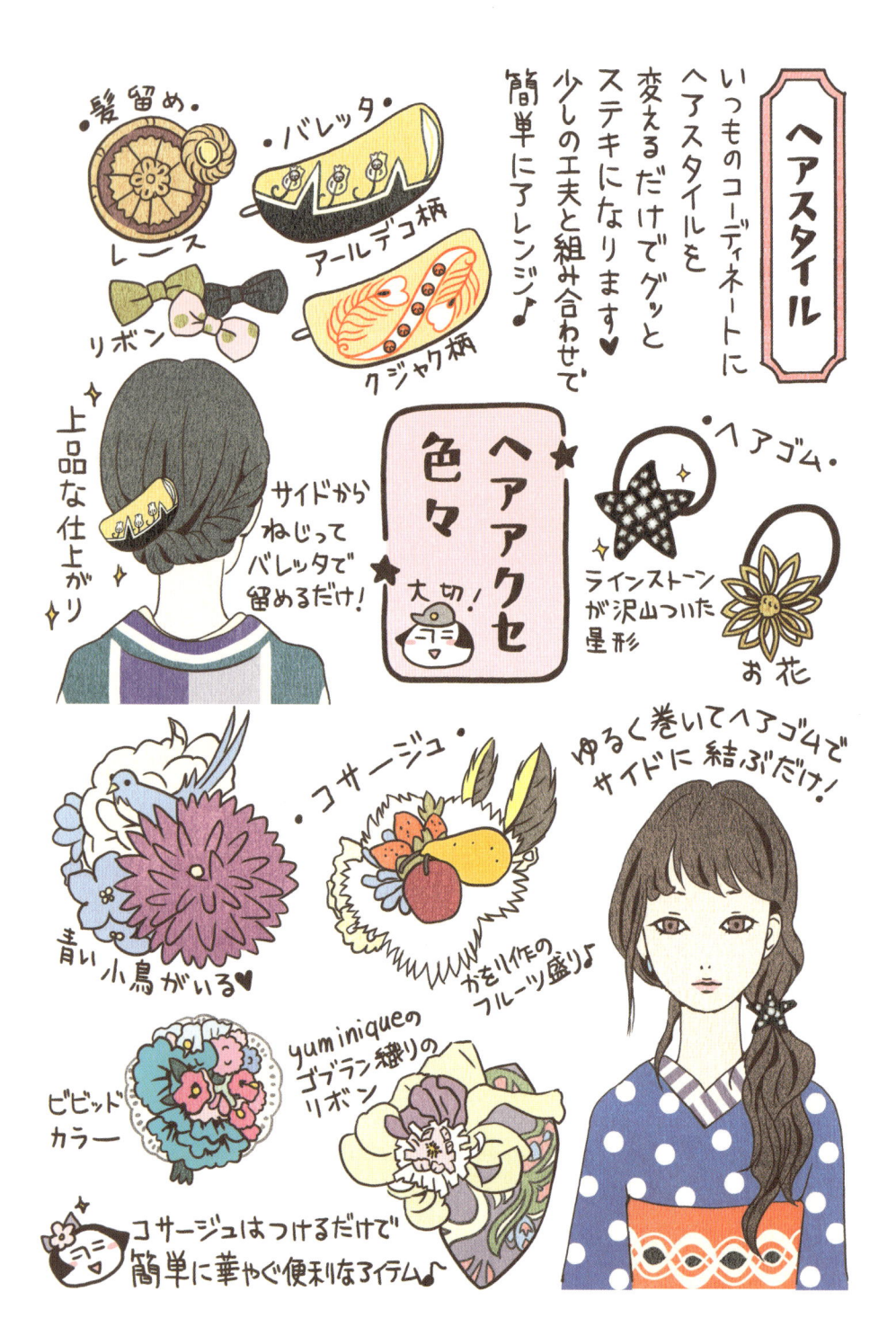

ヘアスタイル

いつものコーディネートにヘアスタイルを変えるだけでグッとステキになります 少しの工夫と組み合わせて簡単にアレンジ♥

・髪留め・
レース

・バレッタ・
アールデコ柄
クジャク柄

リボン

上品な仕上がり
サイドからねじってバレッタで留めるだけ！

ヘアアクセ色々 大切！

・ヘアゴム・
ラインストーンが沢山ついた星形
お花

・コサージュ・
青い小鳥がいる♥
力を入り作のフルーツ盛り♪
ビビッドカラー
yuminiqueのゴブラン織りのリボン

ゆるく巻いてヘアゴムでサイドに結ぶだけ！

コサージュはつけるだけで簡単に華やぐ便利なアイテム♪

カチューシャ

簡単つけるだけで華やかに

定番のみつあみカチューシャ

モノトーンやラインストーンがついてるものは、どんなコーディネートにも合わせやすい♥

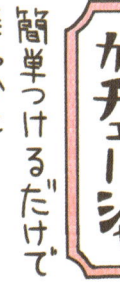

☆選ぶポイントは頭が痛くならないゆるいものか、自分で広げて調節できるものがオススメ

いちおし！

ピアス風カチューシャ

タッセル　スズラン　スター

ピアスが大きく重くても痛くない！

カチューシャに輪がついていてカニカンでつけ外しができる

今まで重くて使えなかったピアスにカニカンをつけて改造！

実家のタンスに眠ってた母のスカーフ

スカーフを折り畳んでカチューシャ風にする♪着物と合わせた姿はP49へ

ウィッグ

ヘアアレンジに便利なのは部分ウィッグ！サイドやトップに盛るだけで変わります

◆ふわふわサイド盛り

必要な物
- アメピン
- Uピン
- ロープウィッグ

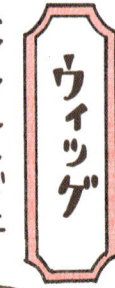

1 サイドにお団子を作る

2 お団子の後ろにロープウィッグの端をアメピンで留める

3 お団子を中心にゆるく全て巻きつける

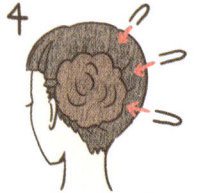

4 Uピンで固定したらできあがり

◆60's風トップ盛り

ボリューム多めの短めのポニーテールウィッグ

リボンのヘアアクセ

1 トップにお団子を作る

2 ウィッグをお団子にかぶせる

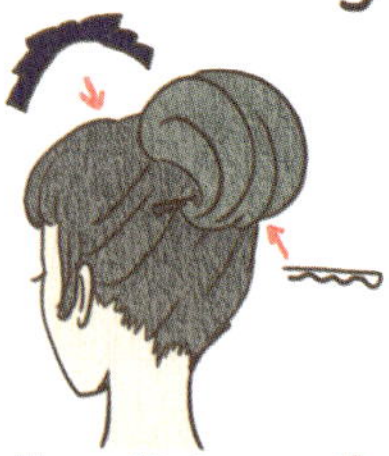

3 長い場合は、毛先を内側にまるめて、アメピンで留める。ウィッグの前にリボンをつけて完成

☆耳の上のおくれ毛をまとめるのにオススメのマトメージュヘアスタイリングスティック！

トップ盛り♡　ここ

サイド盛り♪

60'sイメージ

半衿はきもの番長

帽子

☆ハットでマニッシュに

ハットは深めに少し斜めにかぶるとこなれて見える

ベレー帽もいろんなタイプがあるのでどんどん試してみて！

こんなのとか こんなのなど

☆ベレー帽でキュートに

半衿はきもの番長

✿I ♡ hats✿

※裏ワザ！ネットを中に見えないように畳むとゴージャス感が減って、普段にも使いやすくなる！

☆ヘッドドレスでパーティに♪

よくやる

お気に入りのブローチでカスタマイズ♡

☆毛糸の帽子でほっこり

暖かさNO1！

手元

ネイル

週末やパーティで盛りたい時の強い味方！

◆つけ爪のワンタッチネイル

ケース付き

着脱簡単でオススメ♡

・デザインも色々

花と水玉
短くカットして使っている

60's風
星をつけてみた☆

カラフルマリン！

普通のチップの裏にエターナル(粘着剤)を塗ってつけ爪を作ってみた！

つけ爪だと心もとない日は‥

◆ネイルシール

いろんな種類があるよ

シールならではの繊細な柄も♡

ヒゲチュウコさんのシール

◆マニキュア

三色バラバラで塗るのもかわいい！

シンプルに塗るだけ♡

普段は短くナチュラルな爪が好きだけど爪がキラキラしてると心がはずむ♡

うっとり

80

お花の透かし彫り

シルバーの植物柄

パステルカラー
6%DOKIDOKIで買った

Lコードの素材！
友人のアメリカみやげ

桁丈が足りない時は太い**バングル**でオシャレにカバー

H&Mでセット売りしてた

指輪

キャンディーみたいにカラフルなリング
着物の色に合わせて色を変える

何でも合うこげ茶

手袋

グッと華やかに！

パーティの時手袋があると

ネコの半衿はきもの番長

ポイントになるグリーン♥

バッグ

バッグは敢えてハズして洋服の時に使っているものを選ぶとモダンに！

ろジョンテイストのキラキラビーズバッグ！

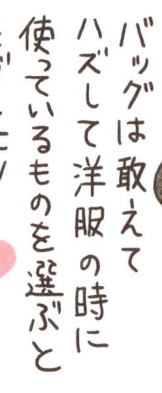

アメリカの金属製のバッグ ガマグチがキュート♡

イチゴのバッグ ショートケーキみたい！

きゃりーぱみゅぱみゅのアートディレクターの増田セバスチャンさんのワークショップで作った！

セバスチャンさんに色を褒められて嬉しかった♡

ゴブラン織りのバラ柄

夏のカゴバッグ♪

ひまわりの
コサージュ
付き！

友人が作ったヒマワリのバッグ
夏らしくて好き♥

ころんとしててかわいい！

豆千代モダンで買った
アンティークバッグ！

お買物に
便利！

おもしろい柄♥

母のおさがりの革の彫刻のバッグ

半衿は
きもの番長

アウトドアブランドの
トートバッグは
軽くて丈夫

ネコ好きは、たまらない
ムチャチャ⇔あちゃちゅむのバッグ

ナナミカは
かわいい
柄が
ある！

マチがあるから沢山入る♥

衿元

レースで華やかに

☆ 色半衿の上にレースを重ねると…

ふりふの綿レース

色半衿

レースの穴から、下の半衿の色が見えてかわいい！

つけ方

1. 着物の衿の内側の中心とレースの中心を重ね合せる

中心

2. 着物とレースの中心、両肩山をフメピンか安ピンで留める

☆ 掛け衿に

豆千代モダンのレース

☆ 伊達衿に

普段着の着物ならハギレを2つに折って伊達衿にもできます

レースの端が丸いと伊達衿がかわいくなる

掛け衿と同じ方法で留めるだけ

半衿は、kimono163

少し硬めのレースだと立ちやすい

簡単手作りで自分テイストの半衿に!

左右違う布でモダンに!

2枚の布を縫いつける

ピンキングハサミでカットすると楽!

シンプルな柄でも左右の色が違うだけでオシャレに♪

波と魚でマリンに

半衿は顔の近くで二番目立つ所♥

スタッズをつけてロックに★

プラスチックのスタッズは軽くてオススメ

オカダヤのワゴンにあった♥

縫いつけたり、貼るタイプがある

スタッズがシルバーなので、半衿の布は同系色のモノトーンでまとめる

★辛口アイテムを投入してロックテイストに!

足元

柄足袋大好き♥
水玉・ストライプ・スターなど
季節に関係のない柄を
選ぶと通年使えます

スター

ロングタイプは暖かくて冬に良い

グレー×黄色のストライプ

ネコもう一足は鳥！撫松庵

アンティパストのタビソックス ドゥーブルメゾン色

♥ 楽しくカラフルなストレッチタビ ♥

スクエア柄

パンチを入れたい時の

底の色だけネイビーでさりげなくこっている♥

ベルベットの水玉

レオパード柄

ロングタイプで白地はコーデしやすい！ぶ厚い！

モザイク柄

水玉

ストライプ

アールヌーボー柄

柄足袋は草履をシンプルにすると合わせやすい♥

86

履物

歩きやすさNo1！
注文の多いキモノ店とカレンブロッソのコラボのカフェ草履

黒×赤のモダンカラー
はきもの・きもの弥生のオリジナル草履

花柄の鼻緒 台はコルクで軽くて歩きやすい
鼻緒は戸部田はきもの店

鼻緒は太いほうが歩きやすい！楽に歩けるのが大事

ざくろ柄♡
姉妹屋の草履

雨の日こそ心がウキウキする物を履きたい♪
雨草履

防寒用
アザラシの草履

いつもの草履も変わる♡
ふりふの鼻緒につけるコサージュ

ここからPOPな柄足袋が見えたらかわいい！

ストラップシューズでガーリーに！

沢山歩く時や旅行の時にとても楽！
ショートブーツ♪
着物のコーデが甘口な時足元を辛口にしたり♡

帯回り

ブローチを帯留めにして洋小物をミックス!

✽ かわいいブローチを帯留めに ✽

ちどり子のブローチ

バラ

Ulalaで買ったハチのブローチ

チョウ

とぼけたテイストを入れて遊び心のあるコーデに♡

お気に入りのブローチを帯留めにするのが..

ジャーン

「帯留め金具(ブローチ用)」

いつも使ってます

裏

ブローチの針を金具の穴に入れて..

ブローチの針を閉じて帯締めを金具に通すだけ!

更に裏ワザ!!

シリコンのピアスのキャッチで留めるとブローチが..

落ちない!

お気に入りを落とさぬように!

落とした(泣)

ショート　ロング

針の長さに合わせていろんな中がある

88

| 耳元 |

ショートヘアーでヘアアクセが難しい人は、ピアスやイヤリングをポイントにどの着物とも相性の良い☆パール！

ショートヘアーはピアスで遊べる♪

aoki yuriのCell divisionのイヤリング

2つを組み合わせたり♥

ソムニウムの立方体の片耳ピアス

マリンコーデに！

SHIPSのイヤリング

着物や帯の色に合わせたり 花が入ってキレイ

m-soeurmのイヤーフック！アンティークの風合いの花や繊細なレース

春につけて、小物で季節を取り入れる♥

雨の日も楽しく♪

イナズマがゆれる！

mutlulukのデッドストックのボタンのピアス

季節の花をつける❀

オートクチュール刺繍のピアス

パーティの時は大きなイヤリングで華やかに♪

60'sのフランスのイヤリング

◆簡単 切らない、縫わない作り帯◆

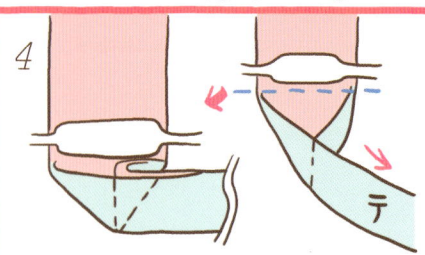

4
帯枕の下線まで、テを引き上げ、三角を帯枕の直ぐ下に作る。

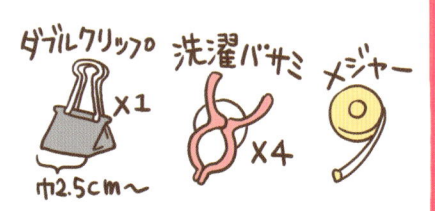

ダブルクリップ、洗濯バサミ、メジャー、名古屋帯、帯揚げ、帯締め、帯枕等を準備。帯をつける前の着物姿で胴をメジャーで測る。

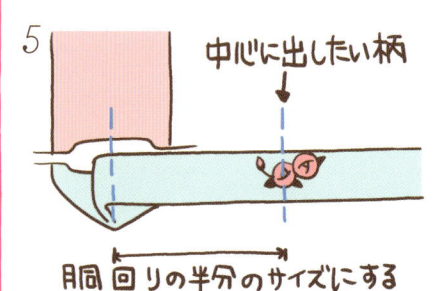

5 中心に出したい柄　胴回りの半分のサイズにする
テの胴の真中に出したい柄を決め、余りの部分を三角の中心に折り込む。

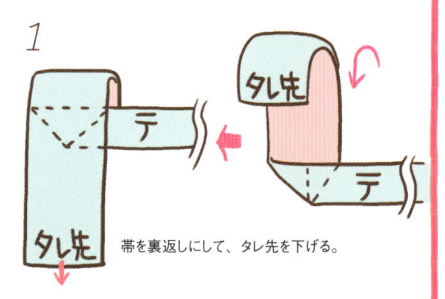

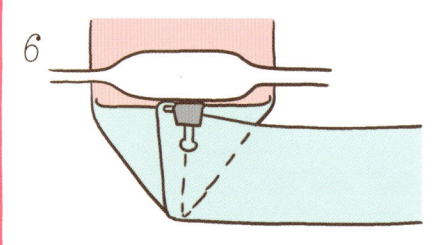

1 タレ先　テ
帯を裏返しにして、タレ先を下げる。

6
ダブルクリップで三角の中心の畳んである所を上から挟んで留める。

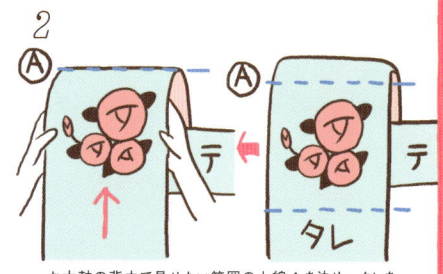

2 Ⓐ　テ　タレ
お太鼓の背中で見せたい範囲の上線Ａを決め、タレを持ち上げ上にずらし、線Ａを折り目の一番上にする。

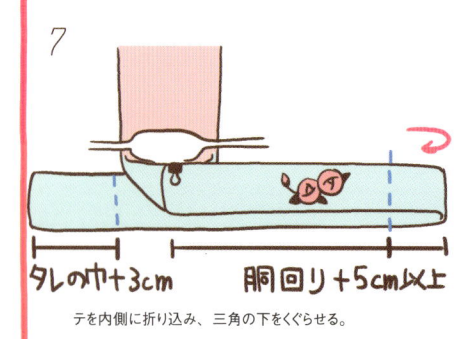

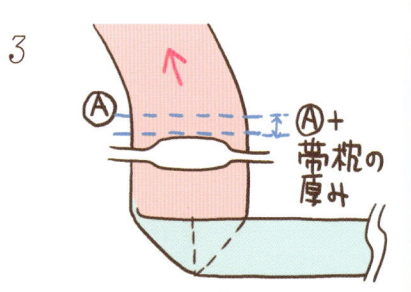

7 タレの巾+3cm　胴回り+5cm以上
テを内側に折り込み、三角の下をくぐらせる。

3 Ⓐ　Ⓐ+帯枕の厚み
タレを上に上げ、先ほどの線Ａの下に帯枕の厚み分間をあけて、枕を置く。

90

12

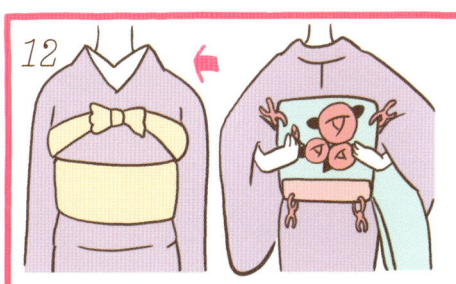

両手で中心を持ち、お太鼓を背中の高さに合わせ、お太鼓が下がらないように帯枕の紐と、帯揚げを、胸の上で結ぶ。

13

わの下線に指を入れ、右から左に帯を撫でつけお太鼓の内側に巻き込む。

14

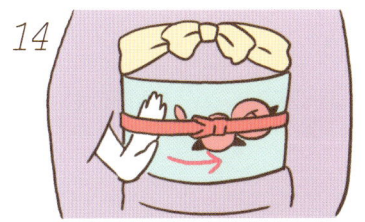

帯締めをしっかりと締める。帯に緩みでシワが出来れば、帯締めの下に手を入れ帯を右から左に撫でつけ、もう一度、13の作業でしっかり巻き込みシワをとる。

15

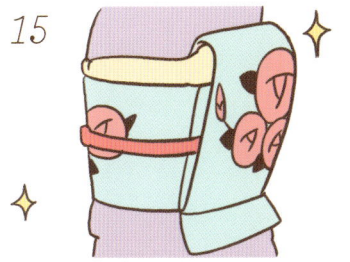

帯揚げ、帯枕の紐を結び直して整え、洗濯バサミを取り、タレを下げる。

8

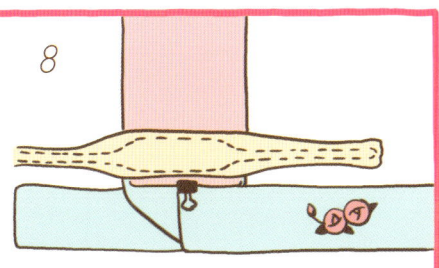

帯枕に帯揚げを包んで、ダブルクリップの上に乗せる。ダブルクリップが枕の台になる。

9

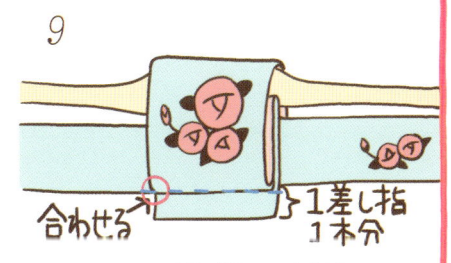

合わせる　1差し指1本分

タレをおろして、内側に折込み、お太鼓を作る。お太鼓の下線をテの下線に合わせる。

10

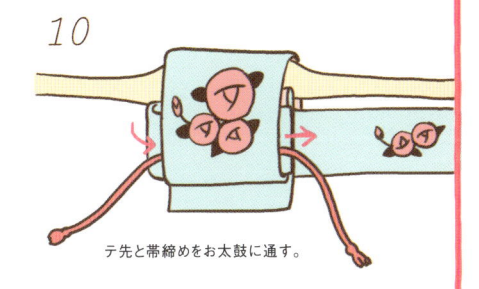

テ先と帯締めをお太鼓に通す。

11

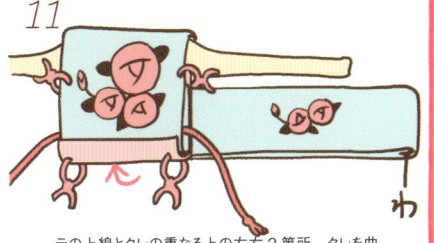

テの上線とタレの重なる上の左右2箇所、タレを曲げて、下の両端2箇所を、洗濯バサミで留める。

コラム4 キモノあるある
・きものの収納術・
日舞の先生
桐のタンスに入れています
スタンダードですね！
番長
押し入れ収納にピッタリなプラスチックケースを使ってます
着物友達
オープンラックは出し入れが便利だよ♥
見せる収納ね
豪快マダム
ニコッ
…。
どーん
部屋の全てが収納!!
ガーン
油断するとはみだしてくる・・
本棚になぜかきものが…
はっ

四章 映像から学ぶアンティークの着こなし

細雪

(映画・1983年・市川崑監督 原作 谷崎潤一郎)

美しい姉妹の身嗜い

◆爪切り

足の脛しか見えてないのにドキッとする

突然、男性に見られても目を逸らさずにゆっくり足を仕舞う仕草も妖しく美しい。

◆四姉妹のモデルは谷崎松子夫人の姉妹

◆着付け あかん!!

新しい帯が擦れて、キュウキュウ音がなる微笑ましいシーン

ほんにゆうてるわ!

◆お化粧

襦袢姿でお白粉を塗る姿も色っぽく美しい

映画「細雪」は、戦前の大阪の旧家の四姉妹が織りなす物語。まだ、着物が生活の中心だった頃、礼装から普段着、お嬢様から使用人、いろんな年齢の着物の着こなしがみられて着物好きにはたまらない映画です。

このページに描いた、物語冒頭の京都での花見。桜を背景に四姉妹の装いが華やかに浮かびあがります。

長女の鶴子は、疋田総絞りの着物に、表は控えめな色で裏地は鮮やかな緋色の家紋が染め抜かれた道行コート。次女の幸子は、青い同系色でまとめた若竹柄の訪問着と、波頭柄の羽織。三女雪子は、蕨が芽吹く控えめな白地の訪問着。四女妙子は、大きな蝶が大胆に舞う山吹色の友禅染の訪問着。さすが、お嬢様は、絢爛豪華です！

このシーンとは逆に、右のページは、姉妹たちの日常の身繕いの姿を描きました。日常の生活から普段着の着物も窺えます。

着物の着方もそれぞれ違い、鶴子は、着物の衿の合わせも浅く衣紋も多めに抜いてゆとりがある着こなし、逆に妙子は、深く合わせ衣紋もあまり抜いていない初々しい雰囲気。若い人は初々しくかわいく、鶴子は歳を重ねた女が似合う着こなしをしている。

自分の年齢に近い人を参考にしたり、年上の着こなしを見て、ああ、私も将来あんな着こなしがしたいと思いをはせたりと楽しい映画です。

化粧師〜KEWAISHI〜
(映画・2002年・原作/石ノ森章太郎)

大正時代の化粧師"小三馬"の話。
化粧を通して変化していく女たちと
大正ロマン漂う町並みや、小物、
着物が見所。

・主人公の小三馬(椎名桔平)
無口。首の赤いスカーフは母の形見

木彫風の看板

小三馬の仕事場には色とりどりの化粧品と道具がある

小三馬の飼っているメジロ。木製の鳥籠が繊細で美しい

バラの成分で爪を染めるバラのいい香りがするのだろう…

96

それぞれの女の生き方と着物

◆ 天ぷら屋の娘「純江」
（菅野美穂）

♥ かわいい銘仙
青の銘仙の着物にオレンジ色のたすきと半巾帯が差し色できいている！

◆ 純江のハツラツとした着こなし
椿柄の銘仙の着物に半巾帯。腰の革のバッグがアクセント

下町らしく丈は短め！

◆ 呉服屋の奥様「鶴子」
（いしだ あゆみ）

当時54才の大人の着こなしがステキ！

しっとり大人のアンティーク着物

◆ 女優を目指す「小夜」（柴咲コウ）

意志の強いキリッとした縞のお召の着物

◆ 働く女中ファッション
お時！！

いじめられるもう1人のヒロインお時

おせん
（ドラマ・2008年・原作 きくち正太）

主役の「おせん（蒼井優）」は、老舗の料亭「一升庵」の女将。食がメインのお話

台所での着物
着物とエプロンの組み合わせがかわいい！

2話味噌作りの話。モダンな着物に半衿のレース柄もかわいい

大豆を選り分ける時のエプロン姿

おせんの簡単に作れる鍋焼き味噌汁作ってみたい

6話のトーストを七輪で焼く姿　着物もエプロンも洋食に合わせて洋風♪

働きやすいゆるい着付け♥

8話おむすびの話　レモン色の木綿の着物に紫のたすきがけが、ポイント！

薪で炊いたご飯が美味しそう

1話お料理対決のシーンの姿

白黒に赤の大胆な柄に半衿もモノトーンの市松

帯は着物の赤と同じ色

おせんが作ったソースカツ丼と海老天茶漬けが美味しそう♥

お出かけはきっちりした着付けのおせん

白い着物にネイビーの白い水玉のストールが映える

よそゆきの着物のコーディネート

4話の2号店の話。白地にバラ柄の着物にレモン色の帯で爽やかなコーデ

おせんがすっぽん鍋で作るすき焼きの美味しそうなこと！

羽織 & ショール

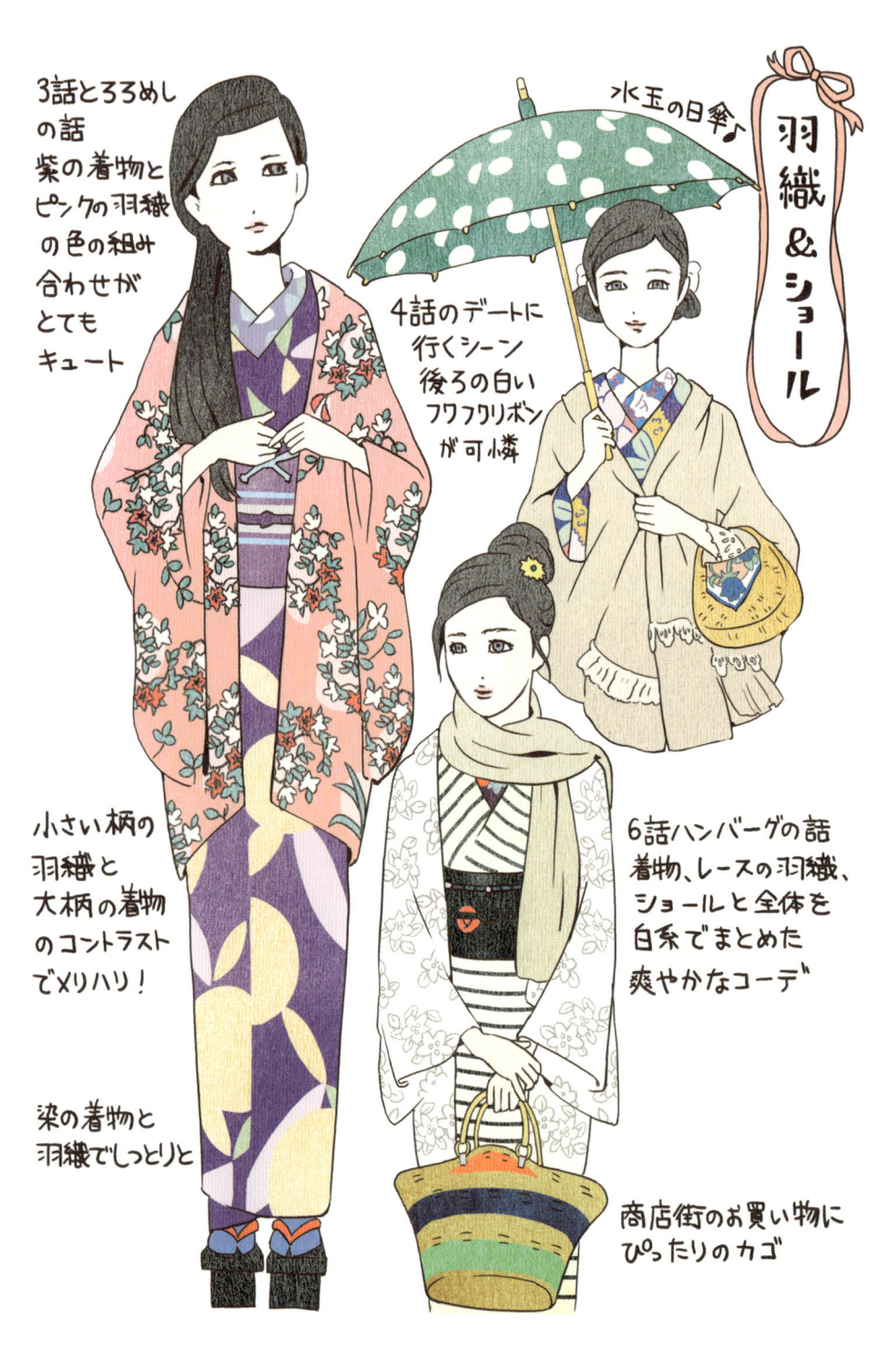

3話とろろめしの話
紫の着物とピンクの羽織の色の組み合わせがとてもキュート

水玉の日傘♪

4話のデートに行くシーン
後ろの白いフワフワリボンが可憐

小さい柄の羽織と大柄の着物のコントラストでメリハリ!

染の着物と羽織でしっとりと

6話ハンバーグの話
着物、レースの羽織、ショールと全体を白系でまとめた爽やかなコーデ

商店街のお買い物にぴったりのカゴ

ストライプの着物

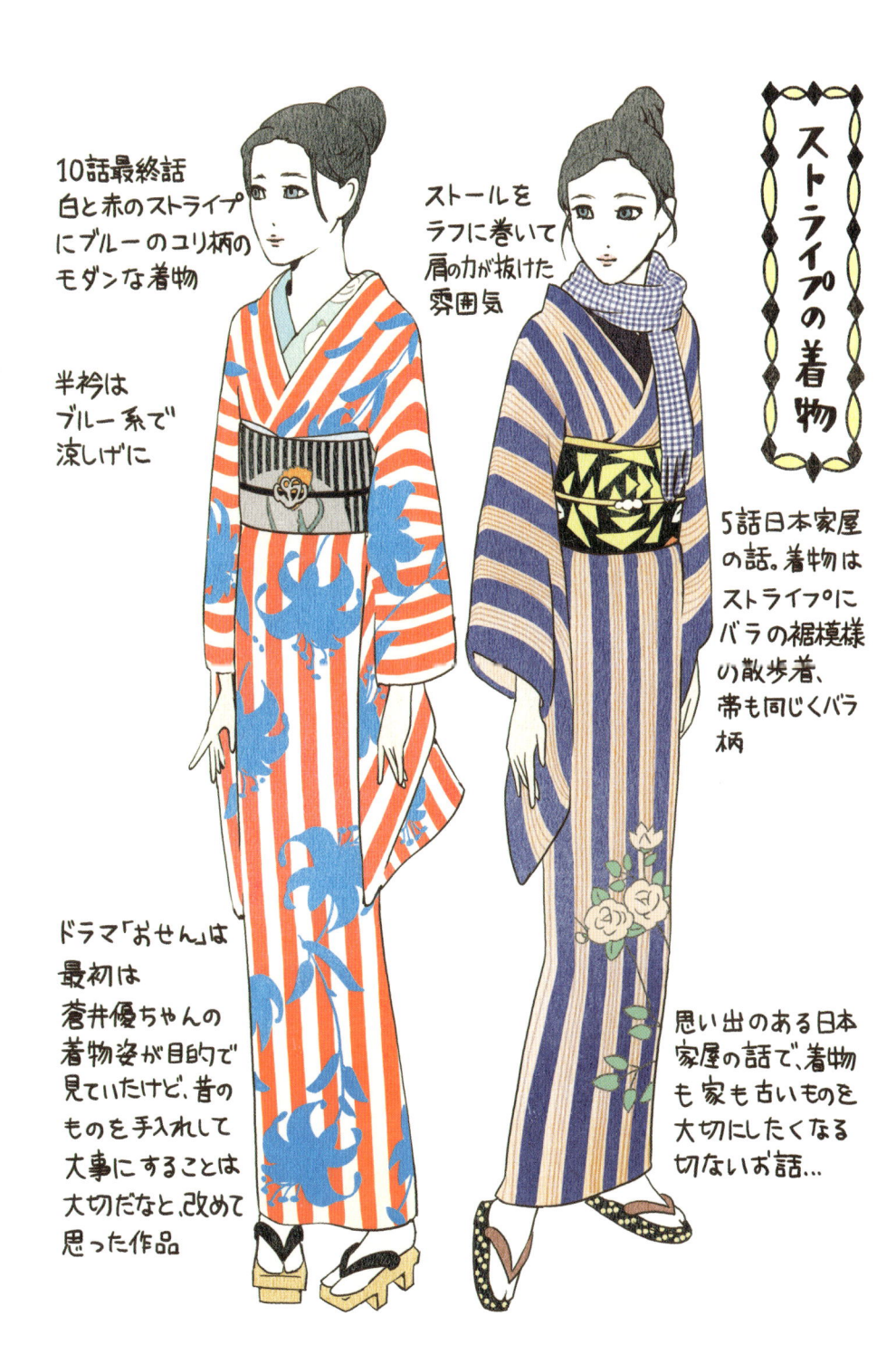

10話最終話
白と赤のストライプ
にブルーのユリ柄の
モダンな着物

半衿は
ブルー系で
涼しげに

ストールを
ラフに巻いて
肩の力が抜けた
雰囲気

5話日本家屋
の話。着物は
ストライプに
バラの裾模様
の散歩着、
帯も同じくバラ
柄

ドラマ「おせん」は
最初は
蒼井優ちゃんの
着物姿が目的で
見ていたけど、昔の
ものを手入れして
大事にすることは
大切だなと、改めて
思った作品

思い出のある日本
家屋の話で、着物
も家も古いものを
大切にしたくなる
切ないお話…

◆トリプル紐でふわふわリボン結び◆

6 タレを持ち上げ輪にして羽を作る。

3 右脇からタレを三角にして半分に折り、タレの上からテを重ねる。

トリプル紐、飾りのあるヘアゴム、長めの半巾帯を用意する。

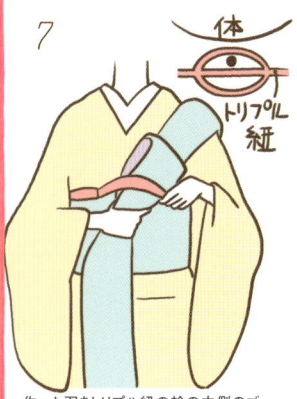

7 作った羽をトリプル紐の輪の内側のゴムに通す。

4 テをタレの下にくぐらせ、結び目が縦になるようにギュッと結ぶ。

1 テを腕の長さよりも少し短めにとり、わが下にくるように半分に折る。

8 もう一つ、同じようにタレを持ち上げ、輪にして一つ目より少し大きく羽を作る。

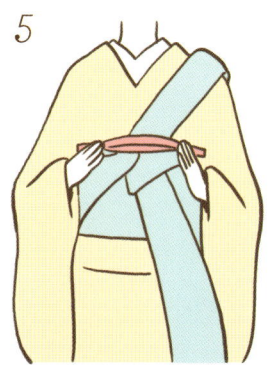

5 テを左肩にあずけ、トリプル紐を帯の結び目の上で結ぶ。右に回し、ゴムを前に持ってくる。

2 テのつけ根を体の中心に当て、テを右肩に掛ける。タレの巻きはじめを三角にし、2回巻く。

15
リボンの中心に、飾りが表に見えるようにヘアゴムを結ぶ。帯全体を右に回す。

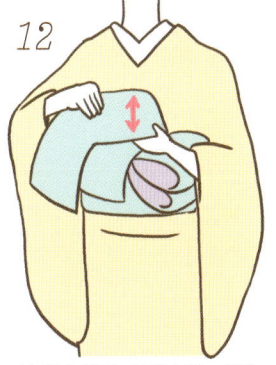

12
左肩にあずけていたテをおろし、結び目からテを広げてシワを伸ばす。

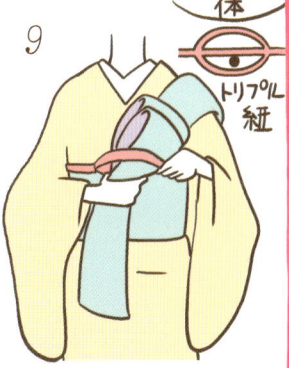

9
2つ目に作った羽をトリプル紐の輪の外側のゴムに通す。

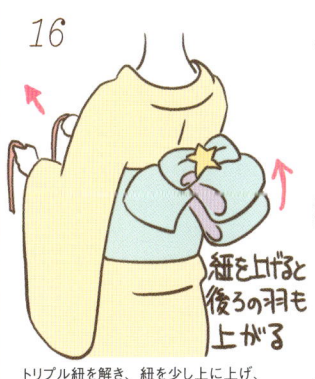

体・トリプル紐

16
紐を上げると後ろの羽も上がる

トリプル紐を解き、紐を少し上に上げ、再び結ぶ。見えないように帯の中に入れ込む。

13
結び目から1/3で折り。リボンを作る。

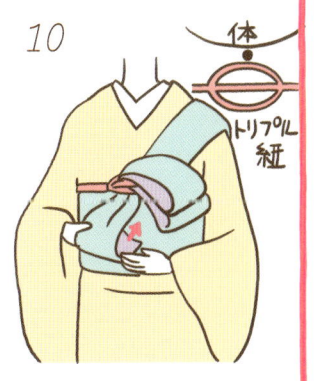

10
体・トリプル紐

残りのタレを、トリプル紐の一番内側に入れる。

17
☆トリプル紐と帯揚げが合体した「ちどりこ紐」も便利でオススメ♥

できあがり♪

帯締めをしたり、トリプル紐の上から帯揚げをしてもOK！

14
リボンの断面　山折り　谷折り

テの真中を谷折りにして、M字に折り曲げる。

11
入れたタレ先を、引っ張り上げる。引っ張り上げる長さは、最初の羽より少し短くする。羽の上にタレ先をのせる。

コラム 5 ART

I ♡ 浮世絵

- 出会いは、小学生のころに見た「写楽展」

かっこよか！ 10才

- その後、ハマって学校の課題で浮世絵を模写する渋いガキに

ふーん / えへへー

- 大人になってオランダでの絵の展示で

これ広重にインスパイアされたでしょ！
さすが友よ…
オランダイ！

日本では浮世絵好きとは会えず…浮世絵トークで盛り上がった！

- 写楽、北斎、春信、広重、国芳と好きな浮世絵師は沢山いるけど1番は

溪斎英泉（けいさい えいせん）！

女の粋とあだを描かせたらピカ1！

英泉の着物の柄や色合せもファッショナブル！

粋系の着物が好きな人にオススメのスタイル！

- そして…浮世絵好きが高じて講演会をすることに！詳しくは次章へ♡

人生ってどうなるかわかんないね！
ほんまや！

ゴッホ / 英泉

ゴッホも英泉を模写した！

20代のころに集めた画集たち♡
マイナーだから少ない…

104

五章 きもの番長のこと

講演会「浮世絵＆着物にまつわるエトセトラ」

- ◆ ハンブルク浮世絵コレクション展の記念イベント（2011年）

ハンブルク浮世絵コレクション展

- ◆ 「紅絹（もみ）」の著者の青木千英さんとの対談形式

センス抜群！
わーい
やったー

記念イベント
青木千英
×
松田恵美

立派な看板でびっくりした！
わー

- ◆ 会場は、地元の福岡市美術館講堂

着物姿のお客さまが多かった
約100名以上もご来場！ありがたい♥

- ◆ 当日の私のコーデも千英さんにしてもらった 江戸のコーデ！

江戸時代に流行った縞コーデ

着付けもしてもらった♥

青木千英さんの江戸のコーデ

江戸後期には縦長効果のある裾模様の着物が流行!

裾だけに模様があるとスラッとしてみえる

イベントで千英さんがスタイリングしたモデルが登場した♡

江戸時代には倹約令の影響で縞が流行った

この裾柄は今は、留袖として残ってる

浮世絵の美意識はほっそり、すっきり!縦縞は縦長効果!

長崎ぶらぶら！長崎かゞみやへ♪

◆着物仲間と一緒に長崎旅行へ

「蛍茶屋電停」から、神社の中を通って5分

レトロな路面電車

◆宿とアンティークキモノ「長崎かゞみや」へ

小窓もかわいい！

暖簾もテラスもステキ！

長崎かゞみやさんでは、アンティーク着物のレンタルができる！

ズラーリ

まだまだ沢山ある！

女将のゆかりさん

レンタルする着物がステキで迷ったので、選んでもらった♡

◆着物を着たらオススメの撮影スポット「出島」へ♪

出島の中でも、和洋折衷な「カピタン部屋」はオススメ

室内の窓辺やオシャレな壁紙の他にも

お嬢風に♡

お庭の橋や季節の花々などベストショットが撮れる場所が沢山！

チューリップが咲いてた！

長崎かゞみやさんコーデ

カラフルな
ヘッドドレスを
チョイス！

着物はもちろん
足袋から下駄
髪飾り、バッグや
コートまで
全部レンタル
できるので
手ぶらでOKなのが
旅行中でも魅力的

◆長崎ぶらぶら♪
長崎で最も歴史のある
「中通り商店街」は
骨董屋やリサイクル店も！

着物が奥まである！
ツボすぎて前に進めない

◆長崎市の市章の
マンホールが
「帝都物語」の
五芒星みたいで
カッコイイ！

◆もちろん食べ物も♥

しっとりして美味しい
「匠寛堂」の純金かすてら

カステラ試食あり
当時600円！安い

胃に優しい
「花ござ」の
にゅうめん

バラの形のアイス

バラ盛り
名人のおばあちゃんに
作ってもらう

せっせっ

・あとがき・

こんにちは、お久しぶりです。きもの番長こと、松田恵美です。

おかげさまで、相変わらず、楽しいきものライフを送っています。

手にとってくださってどうもありがとうございます。

シリーズ一冊目「きもの番長ことはじめ」(※「きもの番長」新装版)では、普段着の12ヶ月のコーディネートや、着物のHOW TOなど着物を「オシャレに楽しく」をテーマに紹介していきました。

二冊目の本書は「実際どうやって着物でオシャレに、コーディネートしていくの!?」とお悩みのあなたへコーディネートレッスンの実践編です。

一章は、着物ならではの色の組み合わせです。着物は色on色！柄on柄！と洋服にはない独特の組み合わせがあります。最初は、こんな色の組み合わせでいいの?などとびっくりすることもありますが、コツさえわかればパズルゲームのように楽しめます。この本では、様々なコツを紹介しています。楽しくページを眺めて、色の組み合わせに慣れてきたら、自分の好きな色の組み合わせを見つけて、実際手持ちの着物で試してみましょう。

二章は、初心者さんの最初の一枚にオススメのテッパン柄の着物です。コーディネートできる帯のテイストも幅が広いので、一枚持っておくとフレキシブルで心強い着物たちです。

三章は、更に一歩進んで、洋小物をMIXしてモダンに着こなすコツやアイテムを紹介し

ています。小物は最後の味付けですが、実はここを押さえるだけで、グッとコーディネートがドラマティックになります。面積は小さいのですが、効果抜群です！

四章は、映画やドラマを見てイメージを広げていきます。美しい風景と溶け合った着物姿を見ているだけで胸がキュンとします。着物を好きになると、物語は勿論、着物ウォッチもできて、楽しみが二倍になります。いろんな人の着こなしを見て、自分にも取り入れてみてください。

他にも、暑い日、寒い日の着物対策や、HOW TOマンガ、簡単な作り帯の方法、トリプル紐を使った半巾結びなど、実際に使える内容を盛り沢山でお送りしています。

あなたの着物ライフが、毎日に楽しく彩りを添えると嬉しいです。

この本は、私が着物にハマるきっかけとなった「KIMONO姫」の生みの親の田辺さんと一緒に作ることが出来、本当にきもの好きここに極まれり！という感激の気持ちで一杯です。「KIMONO道（※現KIMONO姫①）」は、読み込み過ぎてボロボロです（笑）。そして、お会いした時やネット上などで「次の本楽しみにしてます」と声をかけてくださった読者の方たち、支えてくれる友人、家族みなさまのご縁に感謝いたします。本当にありがとうございました。

松田恵美

プロフィール

松田 恵美 / まつだ めぐみ
着物と猫が好きなイラストレーター。著書に着物を日常的におしゃれに楽しくをテーマにした『きもの番長ことはじめ』『きもの番長おしゃれのAtoZ』(ともに祥伝社)がある。また、中国語版も出版されている。
HP　　　　megumimatsuda.com
Twitter　　@kimonobancho
Instagram　kimonobancho
LINEスタンプ　きもの番長の着物乙女

＊こちらが最新版のプロフィールになります。

装丁・デザイン　荻原佐織(Passage)
編集　田辺真由美

きもの番長2　コーディネートレッスン編

初版第一刷発行　2015年12月5日
　　第二刷発行　2020年4月25日

著者　松田恵美
発行人　辻　浩明
発行所　株式会社祥伝社
　　　　〒101-8701　東京都千代田区神田神保町3-3
　　　　03-3265-2081(販売)
　　　　03-3265-2018(編集)
　　　　03-3265-3622(業務)
印刷・製本　図書印刷株式会社

ISBN978-4-396-43068-9 C0076
©matsuda megumi　Printed in Japan

本書の無断複写は著作権法上での例外を除き禁じられています。また代行業者など購入者以外の第三者による電子データ化及び電子書籍化は、たとえ個人や家庭内での利用でも著作権法違反です。造本には十分注意しておりますが、万一、落丁・乱丁などの不良品がありましたら、「業務部」宛てにお送りください。送料小社負担にてお取替えいたします。ただし古書店で購入されたものについてはお取替えできません。